2025

1テーマ **10分**！ サクッとわかる

ケアマネ試験

スタートブック

中央法規

はじめに

　「介護が必要になっても、自分が望む暮らしをしたい」。その思いを実現させるのがケアマネジャーの仕事です。そのために必要な知識や技術、理念について、ケアマネ試験では問われます。合格するためには一定期間の学習が必要となります。学校の試験とは違い、受験生のほとんどは社会人。学生時代のように学習時間を確保するのは大変かもしれません。また、独学で受験する場合、何から勉強したらよいのかわからない、テキストの内容が難しいといった理由で勉強を断念してしまう方も少なくありません。

　実際にケアマネ試験に合格された方々からよく聞かれる言葉があります。それは、「モチベーションが下がらないように、わかりやすい教材を使うこと」と「効率的に学習すること」です。つまり、受験勉強の入口を上手につくって進めることが合格への近道となります。

　この本は受験勉強の入口として、「受験生がはじめて手に取る1冊」をコンセプトにまとめています。難しい言葉は使わずに介護保険制度を中心に制度やサービスのポイントを取り出し、イラストや図表でわかりやすく解説しています。まずは、テーマごとの概要を捉えるところから始めてみましょう。一通り読んでみると基本的な知識が身につき、参考書や過去問を使った次のステップでの学習でつまずきにくくなります。本のタイトルにあるように、1つのテーマを10分で読み切ることができます。ちょっとしたスキマ時間を活用して、効率的に学習を進めてほしいと思います。

　この本がこれからスタートする試験勉強の第一歩となって、皆さんがケアマネ試験に合格されることを心より願っています。

中央法規ケアマネジャー受験対策研究会

この本の使い方

1つのテーマがたった **10**分で サクッとわかる！

1分で ポイントを 確認する

まずはその項目で何が大切なのかを確認しましょう。

2分で おおまかに おさえる

イラストと図表で概要をつかみます。

---

1 介護保険制度の成り立ち

絶対おさえるポイント ⏱ 1 min

▶ 介護保険制度は高齢者の介護を社会全体で支えるしくみである。
▶ 利用者がサービスを選択できるよう、措置から契約へ転換された。
▶ 利用したサービスに応じて利用者が費用を支払う応益負担となった。

パッと見でつかむ！ ⏱ 2 min

介護保険制度の成り立ち

措置制度	介護保険制度
〜 市町村が決定 〜	〜 契 約 〜

 ⟶

利用者がサービスを選択できない　　利用者と事業者が直接契約をする

| 〜 応能負担 〜 | 〜 応益負担 〜 |

 ⟶

所得に応じて費用を支払うので中高所得層の負担が大きい　　サービスを利用した分だけ支払う

16

見開き構成で 気になるテーマから読みやすい

さらにくわしい内容はワークブックで！

この本の項目と対応する『ケアマネジャー試験ワークブック2025』(2025年1月刊行予定)のページはQRコードから確認できます。

2025年1月公開予定

 くわしく見てみよう！ ⏱5min

①介護保険制度の知識

　現在、高齢者の介護を社会全体で支えるしくみとして介護保険制度があります。この制度が始まったのは2000年（平成12年）です。それ以前の介護サービスにはさまざまな問題点がありました。

措置から契約へ

　以前は、利用者自身がサービスを選択することができませんでした。市町村が対象者のサービス利用の必要性を判断し、サービスの内容を決定する措置制度がとられていたからです。それが介護保険制度では利用者がサービスを選択し、事業者と契約をして利用するしくみになりました。

応能負担から応益負担へ

　措置制度では、利用者とその家族の所得に応じて費用を負担する応能負担でした。このしくみだと中高所得者の負担額が大きくなってしまいます。そのため、介護保険制度では、原則として利用したサービスの量に応じて費用を支払う**応益負担**に見直されました。

財源

　以前は介護サービス費の財源の大部分が税金（公費）でまかなわれ、高齢化が進んで介護が必要な人が増えていくと財源が枯渇してしまうことは明らかでした。この問題を解消するために考えられたのが社会保険方式です。被保険者が保険料を納めて、その**保険料を介護サービスの財源にあてる**しくみとして、介護保険制度が誕生したのです。

○✕で試験問題にチャレンジ！ 2min

1　利用者負担は、所得に応じて負担額が決まる応能負担が原則である。
第10回問題3

2　社会保険制度の財源は、原則として公費である。
第24回問題3

答え　1：✕　2：✕

17

5分で 内容を理解する

基本知識をやさしく解説しています。大切なところには黄色マーカーを引いているので要チェック！

2分で 試験問題を解く

その項目で学んだ内容について、実際の試験問題にチャレンジしてみましょう。

「改変」は文章の一部を変更した問題につけています。

CONTENTS

はじめに

この本の使い方 ……………………………………………………………………… 4

ケアマネ試験の概要 ……………………………………………………………… 10

学習方法・合格3か条・合格までの道のり ………………………………… 12

第1章 介護保険制度の知識

1 介護保険制度の成り立ち …………………………………………………… 16

2 介護保険制度の目的と基本的な考え方 ……………………………… 18

3 市町村（保険者）の役割 ……………………………………………………… 20

4 国・都道府県の役割 …………………………………………………………… 22

5 被保険者の資格要件 …………………………………………………………… 24

6 被保険者資格の取得と喪失 ……………………………………………… 26

7 住所地特例 …………………………………………………………………………… 28

8 要介護状態・要支援状態 ………………………………………………… 30

● 要介護認定・要支援認定の流れ ……………………………………… 32

9 要介護認定・要支援認定の申請 ……………………………………… 34

10 認定調査 ……………………………………………………………………………… 36

11 主治医意見書 ……………………………………………………………………… 38

12 認定の審査・判定 ……………………………………………………………… 40

13 認定の有効期間 ………………………………………………………………… 42

14 保険給付の種類 ………………………………………………………………… 44

15 事業者・施設 ……………………………………………………………………… 46

16 利用者負担 …………………………………………………………………………… 48

17 利用者負担を軽減するための給付 …………………………………… 50

18 介護保険の財政構造 ………………………………………………………… 52

19 第1号被保険者の保険料 ……………………………… 54

20 第2号被保険者の保険料 ……………………………… 56

21 財政安定化基金 ………………………………………… 58

● 地域支援事業の全体像 ………………………………… 60

22 地域支援事業① 介護予防・日常生活支援総合事業 ……… 62

23 地域支援事業② 地域包括支援センター ……………… 64

24 地域支援事業③ 包括的支援事業 (地域包括支援センターの運営) …… 66

25 地域支援事業④ 包括的支援事業 (社会保障充実分) ……… 68

26 市町村介護保険事業計画 ……………………………… 70

27 都道府県介護保険事業支援計画 ……………………… 72

28 介護サービス情報の公表 ……………………………… 74

29 国民健康保険団体連合会 ……………………………… 76

30 介護保険審査会 ………………………………………… 78

31 介護支援専門員 (ケアマネジャー) …………………… 80

32 ケアマネジメント ……………………………………… 82

33 居宅介護支援 …………………………………………… 84

34 介護予防支援 …………………………………………… 86

35 施設介護支援 …………………………………………… 88

＋αで確認しよう ………………………………………… 90

第2章 保健・医療の知識

1 老年症候群 ……………………………………………… 92

2 バイタルサイン ………………………………………… 94

3 検査 ……………………………………………………… 96

4 高齢者に多い脳・神経の病気 ………………………… 98

5 高齢者に多い骨・関節の病気 ………………………… 100

6 高齢者に多い循環器の病気 …………………………… 102

7 高齢者に多い消化器・腎臓の病気 …………………… 104

CONTENTS

8　在宅医療管理①　在宅自己注射・人工透析 ⋯⋯⋯⋯⋯⋯ 106

9　在宅医療管理②　経管栄養法・在宅中心静脈栄養法 ⋯⋯ 108

10　在宅医療管理③　在宅酸素療法・人工呼吸療法 ⋯⋯⋯⋯ 110

11　急変時の対応 ⋯⋯⋯⋯⋯⋯⋯⋯⋯⋯⋯⋯⋯⋯⋯⋯⋯⋯⋯ 112

12　感染症の予防 ⋯⋯⋯⋯⋯⋯⋯⋯⋯⋯⋯⋯⋯⋯⋯⋯⋯⋯⋯ 114

13　認知症の種類 ⋯⋯⋯⋯⋯⋯⋯⋯⋯⋯⋯⋯⋯⋯⋯⋯⋯⋯⋯ 116

14　認知症の症状と認知症高齢者の支援 ⋯⋯⋯⋯⋯⋯⋯⋯⋯ 118

15　リハビリテーション ⋯⋯⋯⋯⋯⋯⋯⋯⋯⋯⋯⋯⋯⋯⋯⋯ 120

16　ターミナルケア ⋯⋯⋯⋯⋯⋯⋯⋯⋯⋯⋯⋯⋯⋯⋯⋯⋯⋯ 122

17　薬の知識 ⋯⋯⋯⋯⋯⋯⋯⋯⋯⋯⋯⋯⋯⋯⋯⋯⋯⋯⋯⋯⋯ 124

18　栄養アセスメント ⋯⋯⋯⋯⋯⋯⋯⋯⋯⋯⋯⋯⋯⋯⋯⋯⋯ 126

19　食事の介護と口腔ケア ⋯⋯⋯⋯⋯⋯⋯⋯⋯⋯⋯⋯⋯⋯⋯ 128

20　排泄の介護 ⋯⋯⋯⋯⋯⋯⋯⋯⋯⋯⋯⋯⋯⋯⋯⋯⋯⋯⋯⋯ 130

21　褥瘡の介護 ⋯⋯⋯⋯⋯⋯⋯⋯⋯⋯⋯⋯⋯⋯⋯⋯⋯⋯⋯⋯ 132

22　睡眠の介護 ⋯⋯⋯⋯⋯⋯⋯⋯⋯⋯⋯⋯⋯⋯⋯⋯⋯⋯⋯⋯ 134

出題されやすいポイント ⋯⋯⋯⋯⋯⋯⋯⋯⋯⋯⋯⋯⋯⋯⋯⋯ 136

第3章　福祉の知識

1　ソーシャルワーク ⋯⋯⋯⋯⋯⋯⋯⋯⋯⋯⋯⋯⋯⋯⋯⋯⋯⋯ 138

2　相談面接技術 ⋯⋯⋯⋯⋯⋯⋯⋯⋯⋯⋯⋯⋯⋯⋯⋯⋯⋯⋯ 140

3　成年後見制度 ⋯⋯⋯⋯⋯⋯⋯⋯⋯⋯⋯⋯⋯⋯⋯⋯⋯⋯⋯ 142

4　生活保護制度 ⋯⋯⋯⋯⋯⋯⋯⋯⋯⋯⋯⋯⋯⋯⋯⋯⋯⋯⋯ 144

5　生活困窮者自立支援法 ⋯⋯⋯⋯⋯⋯⋯⋯⋯⋯⋯⋯⋯⋯⋯ 146

6　障害者総合支援制度 ⋯⋯⋯⋯⋯⋯⋯⋯⋯⋯⋯⋯⋯⋯⋯⋯ 148

7　後期高齢者医療制度 ⋯⋯⋯⋯⋯⋯⋯⋯⋯⋯⋯⋯⋯⋯⋯⋯ 150

8　高齢者虐待防止法 ⋯⋯⋯⋯⋯⋯⋯⋯⋯⋯⋯⋯⋯⋯⋯⋯⋯ 152

出題されやすいポイント ⋯⋯⋯⋯⋯⋯⋯⋯⋯⋯⋯⋯⋯⋯⋯⋯ 154

第4章 サービスの知識

● 介護保険サービス一覧 …………………………………………… 156
1 訪問介護 …………………………………………………………… 158
2 訪問入浴介護 ……………………………………………………… 160
3 訪問看護 …………………………………………………………… 162
4 訪問リハビリテーション ………………………………………… 164
5 居宅療養管理指導 ………………………………………………… 166
6 通所介護 …………………………………………………………… 168
7 療養通所介護 ……………………………………………………… 170
8 認知症対応型通所介護 …………………………………………… 172
9 通所リハビリテーション ………………………………………… 174
10 短期入所生活介護 ………………………………………………… 176
11 短期入所療養介護 ………………………………………………… 178
12 定期巡回・随時対応型訪問介護看護 …………………………… 180
13 夜間対応型訪問介護 ……………………………………………… 182
14 小規模多機能型居宅介護 ………………………………………… 184
15 看護小規模多機能型居宅介護 …………………………………… 186
16 特定施設入居者生活介護 ………………………………………… 188
17 認知症対応型共同生活介護 ……………………………………… 190
18 福祉用具 …………………………………………………………… 192
19 住宅改修 …………………………………………………………… 194
20 介護老人福祉施設 ………………………………………………… 196
21 介護老人保健施設 ………………………………………………… 198
22 介護医療院 ………………………………………………………… 200
勉強するときのポイント ………………………………………… 202

ケアマネジャー試験のおすすめ受験対策書 …………………… 203
執筆者紹介

ケアマネ試験の概要

ケアマネジャーになるまで

法定資格がある者※	生活相談員・支援相談員・相談支援専門員・主任相談支援員

5年以上の実務経験+業務に900日以上従事

5~7月 申し込み

10月 試験（介護支援専門員実務研修受講試験）

 合格

研修（介護支援専門員実務研修）

 登録

介護支援専門員証の交付

※法定資格がある者

医師、歯科医師、薬剤師、保健師、助産師、看護師、准看護師、理学療法士、作業療法士、社会福祉士、介護福祉士、視能訓練士、義肢装具士、歯科衛生士、言語聴覚士、あん摩マッサージ指圧師、はり師、きゅう師、柔道整復師、栄養士、管理栄養士、精神保健福祉士

試験についてのくわしい内容は、受験する都道府県の要項で確認してください。

出題形式と合格ライン

　5つの選択肢から正しいものを「2つ」か「3つ」選んでマークします。問題は全部で60問。これを120分間で解答します。配点は1問1点で、合格基準点は分野ごとに正答率70％を基準として、その試験の難易度によって補正されます。

分野		問題数	第26回試験 合格基準点
介護支援分野 本書：第1章		25	17 点
保健医療福祉サービス分野	保健医療サービスの知識等 本書：第2章 & 第4章	20	24 点
	福祉サービスの知識等 本書：第3章 & 第4章	15	

合格率 （第26回試験）

合格率
21.0%
ここ数年の合格率は
20％前後です。

受験者数　**56,494人** ▶ 合格者数　**11,844人**

学習方法

　ケアマネ試験に合格するためには300〜400時間程度の学習が必要といわれています。受験される皆さんは仕事や家事などでまとまった学習時間をとれないことが多いかもしれません。必要なのは、時間をつくる工夫をすること、そして効率的に勉強することです。

　介護支援分野は難易度が高いため重点的に学習しましょう。働いている方は、保健医療サービス分野や福祉サービス分野から学習するのも1つの手です。仕事と関係するところから勉強すると、知識が頭に入りやすくなります。

合格までの道のり

1 入門書を読む

試験範囲を広く浅く解説した本（入門書）から学習するのがオススメです。いきなり全体を網羅した本を読もうとしても、ページ数が多かったり、言葉が難しかったりして挫折してしまう人が少なくありません。この本は、イラストや図表を豊富に使ったわかりやすい内容になっています。どんどん読み進めて、全体をザックリと理解しましょう。

2 過去問を解いてみる

過去問は早めに解きましょう。ケアマネ試験の出題傾向やポイントを知ることで対策を立てやすくなります。「2〜3問解く→答え合わせをする」という短時間のサイクルで勉強すると取り組みやすくなります。

●オススメ
『過去問解説集』
『過去問でる順一問一答』
『ケアマネジャー合格アプリ』

合格3か条

1 毎日コツコツ

1日10分でもよいので、参考書を開いたり、ケアマネ試験に関係する動画（YouTube「メダカの学校」）などにふれるようにしましょう。「勉強した」という事実をつくって、モチベーションを下げないことが大切です！

2 生活リズムに組み込む

毎日同じ時間帯に勉強すると習慣化され、集中力が維持しやすくなります。たまに夜更かしして勉強するなどは生活リズムを乱すので逆効果です。

3 すぐにアウトプット

覚えたことを言葉で説明すると知識が整理されて記憶に残りやすくなります。また、一度解いて間違えた問題を次の日など時間をあけずにもう一度解くと知識として定着しやすくなります。

---

3 参考書で理解を深める

過去問を解いていくと、語句の意味がわからないところが出てきます。そのようなときは参考書の索引から語句を調べて理解を深めていきます。こうすることで試験に出題されやすい知識を効率的に身につけることができます。

●オススメ
『ワークブック』

4 あらためて問題にチャレンジ！

一通り学習したら、もう一度過去問を解いてみます。くり返し間違えるなど苦手なところが見つかったら、参考書を読み直して克服しましょう。さらに一問一答や模擬試験など、別の問題にチャレンジすると、実力をチェックできます。

合格

ケアマネ試験の出題範囲は？

Q

　先輩から出題範囲が広いと聞いて不安です……。「介護支援分野」と「保健医療福祉サービス分野」から出題されることはわかったのですが（→11ページ）、もう少し具体的に試験の範囲について教えてください。

A

　介護支援分野では、ケアマネジャーとして業務を行ううえで必要となる介護保険制度のしくみやケアマネジメントに関する知識などが問われます。保健医療福祉サービス分野は、基本的な医学知識やソーシャルワーク、介護保険サービスの内容を中心に出題されます。『スタートブック』ではそれぞれの分野に関する絶対におさえておきたい項目をわかりやすく解説しています。ざっくりと出題範囲をつかむのに有効ですので、まずは読み進めてみてください。

　ちなみに、ケアマネジャー試験の本をみると、よく『基本テキスト』と書いてあると思います。正式には『介護支援専門員基本テキスト』といい、国が示している出題範囲の項目に準拠したテキストです。ケアマネジャー試験の問題は、このテキストをもとにつくられるといわれています。そのため、ケアマネジャー試験の参考書の多くは、『基本テキスト』に対応した内容になっているのです。

※第28回試験に対応する『介護支援専門員基本テキスト』（一般財団法人長寿社会開発センター発行）は、2024年（令和6年）に刊行された十訂版です。

第 **1** 章

介護保険制度
の知識

1 介護保険制度の成り立ち

パッと見でつかむ！

 2 min

★ 介護保険制度の成り立ち

措置制度	介護保険制度
～ 市町村が決定 ～	～ 契　約 ～

利用者がサービスを選択できない

契約

利用者と事業者が直接契約をする

～ 応能負担 ～

～ 応益負担 ～

所得に応じて費用を支払うので中高所得層の負担が大きい

サービスを利用した分だけ支払う

現在、高齢者の介護を社会全体で支えるしくみとして介護保険制度があります。この制度が始まったのは2000年（平成12年）です。それ以前の介護サービスにはさまざまな問題点がありました。

措置から契約へ

以前は、利用者自身がサービスを選択することができませんでした。市町村が対象者のサービス利用の必要性を判断し、サービスの内容を決定する措置制度がとられていたからです。それが介護保険制度では利用者がサービスを選択し、事業者と**契約**をして利用するしくみになりました。

応能負担から応益負担へ

措置制度では、利用者とその家族の所得に応じて費用を負担する応能負担でした。このしくみだと中高所得者の負担額が大きくなってしまいます。そのため、介護保険制度では、原則として利用したサービスの量に応じて費用を支払う**応益負担**に見直されました。

財源

以前は介護サービス費の財源の大部分が税金（公費）でまかなわれ、高齢化が進んで介護が必要な人が増えていくと財源が枯渇してしまうことは明らかでした。この問題を解消するために考えられたのが社会保険方式です。被保険者が保険料を納めて、その**保険料を介護サービスの財源にあてる**しくみとして、介護保険制度が誕生したのです。

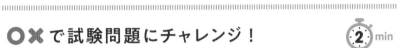

○✖ で試験問題にチャレンジ！ **2** min

1　利用者負担は、所得に応じて負担額が決まる応能負担が原則である。

第10回問題3

2　社会保険制度の財源は、原則として公費である。　　第24回問題3

答え　1：✖　2：✖

2 介護保険制度の目的と基本的な考え方

パッと見でつかむ！

2 min

☆ 介護保険制度の目的

介護が必要になっても、尊厳をもって生活できること

介護保険法第1条
・尊厳をもって自立した日常生活を営むことができる

介護保険法第2条
・要介護状態等の軽減または悪化の防止に資する

国民が互いに助け合っていくこと

介護保険法第1条
・国民の共同連帯の理念に基づく

介護保険法第4条
・介護保険事業に要する費用を公平に負担する
・国民は健康の保持増進に努める

国民の保健医療の向上のために福祉と医療が連携すること

介護保険法第1条
・国民の保健医療の向上および福祉の増進を図る

介護保険法第2条
・医療との連携に十分配慮して行う

くわしく見てみよう！ min

介護保険法は、「介護保険」という社会保険制度を運用するための法律です。条文に含まれるキーワードを中心に、介護保険制度の目的と基本的な考え方を理解しましょう。

介護保険制度の目的は、介護が必要になっても**尊厳**を保持し、その有する能力に応じ**自立した日常生活を営む**ことができるようにすることです。この目的は介護保険法のはじめ（第1条）に定められています。そして、国民自身が要介護状態（→30ページ）にならないように健康の保持増進に努めるものとされています（第4条）。しかし、健康に気をつけていても介護が必要になる場合があります。そうしたときに、**要介護状態等の軽減や悪化の防止**のために保険給付（→44ページ）を行うのです（第2条）。

また、介護保険制度は**国民の共同連帯の理念**に基づくとされ（第1条）、介護保険事業にかかる費用も国民が公平に負担することになっています（第4条）。

介護が必要になった人が日常生活を過ごしていくためには、介護サービスは欠かせません。介護保険法では、保険給付が要介護状態等の軽減や悪化の防止に資するよう行われるとともに、**医療との連携に十分に配慮しなければならない**とされており（第2条）、福祉と医療が連携して取り組むことの重要性が定められています。

◯✕ で試験問題にチャレンジ！ min

1 要介護者の尊厳を保持し、自立した日常生活を営むことを目指す。

第25回問題1

2 保険給付は、要介護状態等の軽減又は悪化の防止に資するよう行われなければならない。 第26回問題4改変

答え 1:◯ 2:◯

3 市町村（保険者）の役割

絶対おさえるポイント ▶ ① min

- ▶ 被保険者の資格管理をする。
- ▶ 被保険者の要介護認定・要支援認定を行う。
- ▶ 介護保険の特別会計を設置し、財務管理を行う。

パッと見でつかむ！ ② min

★ 市町村の主な役割

被保険者の資格管理

- ・被保険者証の交付
- ・要介護認定に関する事務

お金の管理

- ・保険料の徴収
- ・介護報酬の支払い
- ・介護保険の特別会計の設置、運営

サービス提供事業者の指定・監督

- ・地域密着型サービス
- ・居宅介護支援・介護予防支援

くわしく見てみよう！

　介護保険制度では**市町村と特別区**が保険者となります。特別区は東京23区だけですので、基本は「保険者＝市町村」と考えましょう。いくつかの市町村が共同で保険者となることもあります。

　保険者は介護保険を運営します。保険事故が起こったとき（介護保険に加入している被保険者が介護を必要とする状態になったとき）は被保険者に保険給付（→44ページ）を行います。市町村の主な役割をみていきましょう。

　一つは、**被保険者の資格管理**です。市町村は、被保険者が65歳になったときに介護保険被保険者証の交付を行います。また、サービスの利用を希望する被保険者の介護の必要性とその度合いを審査判定する事務も市町村が行います。これを**要介護認定・要支援認定**といいます。

　保険財政の管理も重要な役割です。介護保険制度は被保険者から徴収した保険料と公費を財源として運営されます。市町村は第1号被保険者の保険料を定め、徴収します（→54ページ）。また、介護保険のための**特別会計**を設置して、収支の管理を行います。特別会計とは、他の事業の収支と切り分けて独立させた会計のことです。

　ほかにも、地域密着型サービスというその市町村に住む人が利用できるサービスの事業者と、介護サービスを計画するケアマネジャーが在籍する居宅介護支援事業者や介護予防支援事業者の指定と監督を行うなど、重要な役割を担っています。

◯✖ で試験問題にチャレンジ！ 2 min

1　介護保険の保険者は、市町村である。 第22回再試験問題1改変

2　市町村の長は、居宅介護支援事業所を指定する。 第21回問題4

答え 1:◯ 2:◯

4 国・都道府県の役割

絶対おさえるポイント 1 min

▶ 国は介護保険制度の大枠を定める。

▶ 都道府県は市町村の介護保険運営をサポートする。

▶ 都道府県はケアマネジャーの資格に関する事務を行う。

パッと見でつかむ！ 2 min

☆ 国の主な役割

制度の大枠を定める

・要介護認定の基準

・介護報酬の算定基準

・介護保険サービスの人員、設備、運営の基準など

☆ 都道府県の主な役割

市町村の支援	サービス提供事業者の指定・監督	ケアマネジャーの資格に関する事務

・財政安定化基金の設置

・介護保険審査会の設置

・要介護認定業務の支援

・居宅サービス事業者

・介護予防サービス事業者

・介護保険施設

・ケアマネジャーの登録・更新

・介護支援専門員証の交付

く わ し く 見 て み よ う ！ 5 min

　介護保険は保険者である市町村が運営します。ただし、要介護認定の基準やサービス費用などを市町村ごとに定めると地域によってバラつきが出て不公平になってしまうため、前提となる**事業運営の基準**は国が定めます。厚生労働大臣は、介護保険事業にかかる保険給付を円滑に実施するために基本指針を策定することとされています。これをもとに市町村や都道府県が介護保険に関する計画を立てます（→70ページ、72ページ）。

都道府県は市町村を支援する

　都道府県は、**市町村の後方支援**を行う立場にあります。たとえば、市町村が財政難のときにお金を貸し出したり（財政安定化基金（→58ページ））、被保険者が要介護認定や保険料の徴収など市町村が行った処分に不服がある場合に審理・裁決を行ったりします（介護保険審査会（→78ページ））。市町村が行う事務のサポートとして、要介護認定業務の支援に関する事務も行っています。

　また、都道府県は良質な介護保険サービスが提供されるよう、居宅サービス事業者や介護予防サービス事業者、介護保険施設の指定と監督を行います。

　ケアマネジャーの資格に関する事務も都道府県が担っています（→80ページ）。皆さんが受験するケアマネジャー試験の実施や、資格の登録・更新、介護支援専門員証の交付などです。

○✖ で試験問題にチャレンジ！　2 min

1　都道府県は、介護報酬の算定基準を定める。　第21回問題4

2　介護保険制度における都道府県の事務として、介護保険審査会の設置がある。　第23回問題4改変

答え　1：✖　2：○

5 被保険者の資格要件

絶対おさえるポイント

▶ 介護保険は要件を満たすと自動的に加入となる。

▶ 第1号被保険者と第2号被保険者がある。

▶ 適用除外施設に入所・入院している人は被保険者にならない。

パッと見でつかむ！

被保険者

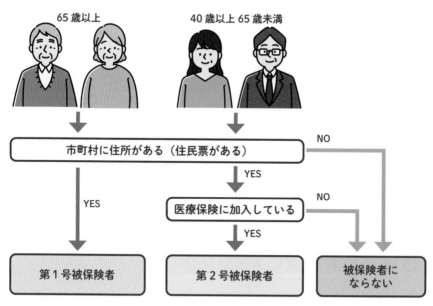

♀Check!

☐ 国籍は関係ない

日本国籍でも日本に住民票がなければ被保険者にはならない。

くわしく見てみよう！ 5 min

　保険に加入している人のことを**被保険者**と呼びます。介護保険は民間保険と違い、自分の意思で保険に加入するかどうかを決めることはできません。これを強制適用といいます。要件を満たすと、市町村に加入申請をしなくても自動的に被保険者となります。

　介護保険には、**第1号被保険者**と**第2号被保険者**があります。第1号被保険者は65歳以上で市町村に住所を有する人、第2号被保険者は40歳以上65歳未満で市町村に住所を有し医療保険に加入している人となります。「市町村に住所を有する」とは、その市町村に住民票があるという意味です。40歳以上65歳未満の人の場合は、医療保険に加入していないと被保険者になりません。

被保険者とならないパターン

　介護保険制度では、日本国籍であっても日本に住民票がない場合は被保険者になりません。逆に、海外国籍であっても日本に住民票があれば被保険者となります。また、障害者総合支援法に規定される指定障害者支援施設や生活保護法に規定される救護施設などに入所している人は介護保険の被保険者とはなりません。その施設ですでに介護のサービスを受けており、介護保険サービスを利用することが想定しづらいためです。こうした施設を**適用除外施設**（→90ページ）といいます。

○✖ で試験問題にチャレンジ！ 2 min

1　医療保険加入者が40歳に達したとき、住所を有する市町村の被保険者資格を取得する。
第25回問題5

2　海外に長期滞在しており、日本に住民票がない日本国籍を持つ70歳の者は、第1号被保険者とはならない。
第22回再試験問題6

答え　1：○　2：○

6 被保険者資格の取得と喪失

▶ 被保険者資格は誕生日の前日に取得する。

▶ 亡くなった場合は翌日に被保険者資格を喪失する。

▶ 第2号被保険者が医療保険を脱退した場合は当日に資格を喪失する。

パッと見でつかむ！ 2 min

被保険者資格を取得するタイミング

○医療保険加入者が40歳になるとき

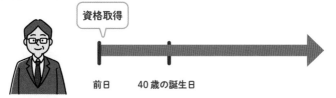

資格取得

前日　40歳の誕生日

○A市からB市に引っ越すとき

B市の被保険者資格を取得

A市が保険者　　　B市が保険者

引っ越し当日

被保険者資格を喪失するタイミング

○被保険者が亡くなったとき

資格喪失

亡くなった日　翌日

○第2号被保険者が医療保険の加入者でなくなったとき

資格喪失

医療保険の加入者で
なくなった日

くわしく見てみよう！

資格の取得

　介護保険では資格要件を満たすと、申請や手続きをしなくても被保険者資格を取得できます。

　介護保険の被保険者資格を取得するのは、第1号被保険者、第2号被保険者ともに**誕生日の前日**（年齢到達日）です。

　また、年齢到達以外で被保険者となる場合は、資格要件を満たした当日に資格を取得します。たとえば、適用除外施設から退所（退院）したときや別の市町村に引っ越して住民票を移したときなどは、その**当日**に住所のある市町村の被保険者になります。

資格の喪失

　被保険者資格を喪失するのは、資格要件を満たさなくなった**翌日**です。具体的には、被保険者が死亡した場合、その翌日に被保険者資格を喪失します。なぜ翌日かというと、亡くなる当日も介護保険サービスを利用することがあるからです。

　同様に、被保険者が適用除外施設に入所（入院）したときも翌日に資格を喪失します。

　被保険者資格を喪失するタイミングには例外もあります。第2号被保険者が医療保険の加入者でなくなった場合は、**その日**から資格を喪失することになります。

○✖ で試験問題にチャレンジ！

2 min

1　65歳の誕生日に第1号被保険者となる。　　　　　第22回再試験問題6

2　被保険者が死亡した場合は、その翌日から、被保険者資格を喪失する。

第25回問題5

答え　1：✖　2：○

7 住所地特例

絶対おさえるポイント 1 min

▶ 介護保険制度では、住民票のある市町村が保険者になる。

▶ 市町村間の財政の不均衡をなくすため、住所地特例がある。

▶ 特定の施設に入る場合は自宅に住んでいたときの市町村が保険者になる。

パッと見でつかむ！ 2 min

住所地主義

住民票のある市町村が保険者となる

A市

A市が保険者

住所地特例

移転前の市町村が保険者となる

自宅

B市

住所変更
（住民票を移す）

介護老人福祉施設

A市

転居前のB市を保険者とし、
B市が保険給付を行う

くわしく見てみよう！ ⑤ min

　介護保険では、被保険者の住民票がある市町村が保険者となることが原則です。これを**住所地主義**といいます。

　しかし、住所地主義によりデメリットが出てくることがあります。例として、A市の介護保険施設に、B市に住んでいた被保険者が入所する場合を考えてみましょう。この被保険者がA市に住民票を移したときに住民票があるA市が保険者になると、介護保険の費用はすべてA市が負担することになります。つまり、施設が多い市町村には被保険者が増えて、財政負担が大きくなってしまうのです。

　そこで、こうした市町村間の財政負担の不均衡をなくすために、介護保険制度では**住所地特例**という決まりがあります。住所地特例とは、被保険者が施設に入所してほかの市町村に住民票を移した場合でも、その前に自宅に住んでいたときの市町村が保険者になるという例外的なルールです。住所地特例の対象となる施設（住所地特例対象施設）には、介護保険施設（介護老人福祉施設、介護老人保健施設、介護医療院）、有料老人ホーム、養護老人ホーム、軽費老人ホームがあります。

　先ほどのB市に住んでいた人の保険者は、住民票を移した後もB市のままです。被保険者が介護保険料を納付するのもB市になります。ただし、住所地特例は介護保険制度におけるルールなので、税金を納付するのは住民票のあるA市になります。

○✖ で試験問題にチャレンジ！ ② min

1　入所前の住所地とは別の市町村に所在する養護老人ホームに措置入所した者は、その養護老人ホームが所在する市町村の被保険者となる。

第25回問題5

2　介護老人保健施設は住所地特例の適用となる。　　第26回問題5改変

答え　1：✕　2：○

❶ 介護保険制度の知識

8 要介護状態・要支援状態

パッと見でつかむ！

☆ 要介護状態・要支援状態

要介護状態	**要介護1～5** 基本的な動作の全部または一部について、6か月にわたり継続して、常時介護が必要と見込まれる状態
要支援状態	**要支援1** **要支援2** 基本的な動作の全部または一部について、6か月にわたり継続して常時介護を要する状態の軽減もしくは悪化の防止に特に資する支援を要すると見込まれる状態

📍Check！

☐ 第2号被保険者の場合
　特定疾病が原因で要介護状態・要支援状態にならないと介護保険サービスは利用できない。

くわしく見てみよう！ 5 min

　介護保険制度では、被保険者が保険事故の状態になると介護保険サービスを利用できるようになります。介護保険における保険事故とは、介護が必要な状態になることです。そしてその状態は、介護が必要な度合いによって**要介護状態**と**要支援状態**に分けられます。要介護状態は要介護1から要介護5までの5区分、要支援状態は要支援1と要支援2の2区分あります。どちらも数字が多くなるほど介護の必要度が高いことを表しています。

第2号被保険者は特定疾病であることが条件

　第1号被保険者は要介護状態・要支援状態になった原因に関係なく、介護が必要な状態であると認められると介護保険サービスを受けられるようになります。

　それに対して、第2号被保険者では、要介護状態・要支援状態になった原因が**特定疾病**（→90ページ）により生じた場合に限られます。具体的には、がん末期や骨折を伴う骨粗鬆症、脳血管疾患、慢性閉塞性肺疾患などの16の疾病があります。特定疾病が原因で介護が必要になれば、第2号被保険者も介護保険のサービスを利用することができます。

○✖ で試験問題にチャレンジ！ 2 min

1　要介護者のうち第1号被保険者については、要介護状態の原因を問わない。
　　　　　　　　　　　　　　　　　　　　　　　　　　第22回再試験問題16

2　第2号被保険者のうち保険給付の対象者は、特定疾病を原因として要支援・要介護状態になった者である。　　　　　　　　　第24回問題4

3　脳血管疾患は、介護保険における特定疾病である。　　第25回問題17改変

答え　1:○　2:○　3:○

要介護認定・要支援認定の流れ

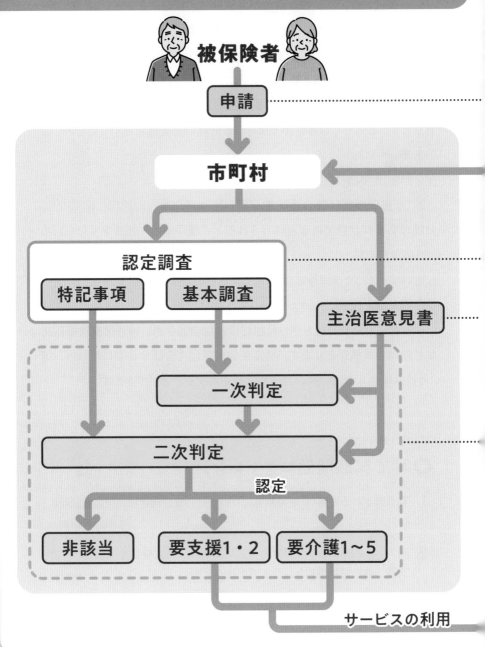

被保険者

申請

市町村

認定調査

特記事項　　基本調査

主治医意見書

一次判定

二次判定

認定

非該当　　要支援1・2　　要介護1～5

サービスの利用

要介護認定・
要支援認定の申請

→ 34ページ

認定調査

→ 36ページ

主治医意見書

→ 38ページ

認定の審査・判定

→ 40ページ

更新認定の申請

区分変更の申請

認定の有効期間

→ 42ページ

9 要介護認定・要支援認定の申請

絶対おさえるポイント

▶ 介護サービスの利用を希望するときは、市町村の窓口に申請する。

▶ 申請には介護保険被保険者証が必要になる。

▶ 家族や親族は代理で申請することができる。

パッと見でつかむ！

申請に必要なもの

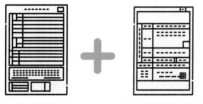

申請書　　＋　　介護保険被保険者証

> 第2号被保険者は医療保険被保険者証等を提示する

申請を代行できる者

- 利用者の家族や親族（代理申請）
- 成年後見人
- 地域包括支援センター
- 民生委員
- 社会保険労務士
- 指定居宅介護支援事業者
- 地域密着型介護老人福祉施設
- 介護保険施設

くわしく見てみよう！

　介護保険サービスを利用するためには、市町村に要介護状態・要支援状態であることを証明してもらい、認定を受ける必要があります。介護保険サービスの利用を希望する被保険者は、住民票がある市町村の窓口で**要介護認定・要支援認定の申請**を行います。

　申請には、申請書と**介護保険被保険者証**が必要です。介護保険被保険者証は、65歳になると市町村から送られてきます。

　一方、第2号被保険者になっても自動で介護保険被保険者証が送られてくることはありません。そのため、介護保険の被保険者証を持っていない第2号被保険者が介護保険サービスの利用を希望する場合は、**医療保険被保険者証**等を提示します。

本人以外でも申請できる

　介護が必要になると自分で申請をすることが困難になることもあります。そのため、要介護認定・要支援認定の申請は、家族や親族が代理で行えます。ほかにも、民生委員や成年後見人（→142ページ）、地域包括支援センター（→64ページ）、指定居宅介護支援事業者、介護保険施設などが申請を代行できます。

◯✖ で試験問題にチャレンジ！

1　介護保険の被保険者証が交付されていない第2号被保険者が申請するときは、医療保険被保険者証等を提示する。
第25回問題8

2　指定居宅介護支援事業者は、要介護認定について申請代行を行うことができる。
第22回問題21改変

3　地域包括支援センターは、申請に関する手続を代行することができる。
第26回問題18

答え　1：◯　2：◯　3：◯

10 認定調査

▶ 認定調査員は原則、市町村職員である。

▶ 認定調査は全国どこでも同じ基準で行われる。

▶ 認定調査票は「基本調査」と「特記事項」に分かれている。

パッと見でつかむ！ 2 min

認定調査員

	新規認定	更新認定
原則	市町村職員	市町村職員
委託可能	指定市町村事務受託法人	指定市町村事務受託法人 地域包括支援センター 指定居宅介護支援事業者 介護保険施設　　　など

認定調査票

基本調査	特記事項
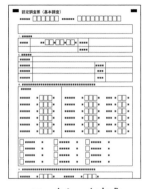	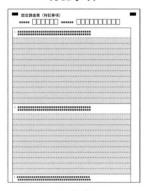
マークシート方式	記述式

36

くわしく見てみよう！

市町村に要介護認定の申請を行うと、市町村は被保険者の心身の状態を確認するために調査をします。この調査を**認定調査**といいます。認定調査員が被保険者の居宅を訪問し、本人と面接して行います。被保険者が入院している場合などは、病院で認定調査を行うこともあります。

新規の認定調査は、公平かつ適正に調査を行うために原則として**市町村職員**が行います。しかし、市町村職員のみでは対応しきれないことが考えられるため、市町村は**指定市町村事務受託法人**に調査を委託することができます。指定市町村事務受託法人とは、市町村の事務を適正に行うことができるとして都道府県が指定する法人です。更新認定（→42ページ）の調査もこの法人に委託することができます。

認定調査票は基本調査と特記事項で構成される

認定調査は全国どこでも同じ基準で行われ、調査項目が記載された認定調査票は**全国一律の様式**です。認定調査票は基本調査と特記事項で構成されています。基本調査はマークシート方式で、麻痺（まひ）の有無といった身体機能に関するものや今の季節を理解できているかといった認知機能に関するものなど、全部で74項目あります。特記事項は記述式で、基本調査の判断理由や介護の手間を記載します。マークシートだけでは被保険者の状態を具体的に説明できないため、特記事項に認定調査員がなぜそのように判断したのかを書けるようになっています。

◯✖ で試験問題にチャレンジ！

1 新規認定の調査は、市町村の担当職員が行う。 第24回問題16

2 認定調査は申請者と面接して行わなければならないと、介護保険法に規定されている。 第26回問題19

答え 1:◯ 2:◯

1
介護保険制度の知識

11 主治医意見書

絶対おさえるポイント

▶ 主治医が医学的視点から被保険者の心身状況について記載する。

▶ 主治医がいない場合は、市町村の指定する医師等が作成する。

▶ 主治医意見書は全国一律の様式となっている。

パッと見でつかむ！

主治医意見書の作成

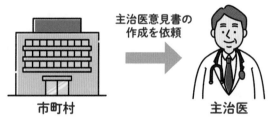

主治医意見書の
作成を依頼

市町村　　　　　　　主治医

📍 Check!

☐ 主治医がいない場合
市町村が指定した医師や、市町村職員である医師が被保険者を診察して主治医意見書を作成する。

主治医意見書の項目

● 傷病に関する意見
● 特別な医療
● 心身の状態に関する意見
● 生活機能とサービスに関する意見
● 特記すべき事項

くわしく見てみよう！ 5 min

　被保険者から介護保険の申請を受けた市町村は、認定調査と並行して被保険者の主治医に主治医意見書の作成を依頼します。市町村から依頼を受けた主治医は、医学的知見に基づいて主治医意見書に意見を記載します。

　被保険者に主治医がいない場合は、**市町村の指定する医師または市町村職員である医師**が診察を行い、主治医意見書を作成します。被保険者が正当な理由なく市町村の指定する医師等の診察を拒む場合は、市町村は要介護認定の申請を却下することができます。

　主治医意見書は要介護認定を行うための重要な資料となり、認定調査票と同様に、基準にバラつきが出ないように**全国一律の様式**となっています。具体的には、生活機能低下の原因となっている病気やけがの状態に関すること、認知症の中核症状や行動・心理症状（BPSD）に関すること、今後予測される病状変化の見通しと介護保険サービスの必要性に関することといった内容で構成されています。

主治医意見書は二次判定で使用

　要介護認定の審査・判定は一次判定と二次判定があります（→40ページ）。主治医意見書が使用されるのは、主に**二次判定が行われる介護認定審査会**です。

○✖ で試験問題にチャレンジ！ 2 min

1　主治医意見書の項目には、認知症の中核症状が含まれる。　第23回問題19

2　主治医がいない場合には、介護認定審査会が指定する医師が主治医意見書を作成する。　第25回問題8

答え　1：○　2：✖

12 認定の審査・判定

パッと見でつかむ！

★ 認定の審査・判定

一次判定 ▶ コンピュータで判定する

【資料となるもの】
・認定調査票の基本調査項目

二次判定 ▶ 介護認定審査会で審査・判定を行う

【資料となるもの】
・一次判定の結果
・認定調査票の特記事項
・主治医意見書

結果を通知

認定 ▶ 市町村が認定する

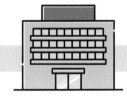

要介護認定は、2段階の審査・判定を経て市町村が認定するしくみとなっています。まず、一次判定では要介護区分の目安を出すため**コンピュータ**で判定を行います。基本調査の項目を5つの行為に分類し、それぞれの行為にかかる介護の手間を時間に換算します。この時間のことを**要介護認定等基準時間**といい、この時間数に応じて一次判定の結果が出ます。

　二次判定は、**介護認定審査会**で話し合って審査・判定を行います。介護認定審査会は、①一次判定の結果、②認定調査票の特記事項、③主治医意見書をもとに検討します。特記事項や主治医意見書に記載された内容をふまえて、要介護状態・要支援状態に該当するか、どのくらい介護が必要かを審査・判定します。そして、その結果を市町村へ通知します。

　最終的に市町村が要介護認定・要支援認定を行い、被保険者に要介護度等が記載された介護保険被保険者証を交付します。

介護認定審査会は審査・判定を行う機関

　介護認定審査会は、保健・医療・福祉に関する学識経験者によって構成される審査・判定の専門機関です。市町村に設置され、委員は市町村長が任命します。公平性を確保するため、市町村の職員は原則として委員になることができません。介護認定審査会は、適切に審査・判定を行うことができるよう、必要に応じて被保険者や家族、主治医などから意見を聴くことができます。

⭕❌ で試験問題にチャレンジ！

1　一次判定は、認定調査票の基本調査の結果及び特記事項と主治医意見書に基づいて行う。
　　　　　　　　　　　　　　　　　　　　　　　　　　　第26回問題19

2　介護認定審査会の委員は、要介護者等の保健、医療又は福祉に関する学識経験を有する者のうちから任命される。
　　　　　　　　　　　　　　　　　　　　　　　　　　　第23回問題18改変

答え　1：✕　2：⭕

13 認定の有効期間

絶対おさえるポイント

▶ 認定の効力は、申請した日にさかのぼる。

▶ 要介護認定・要支援認定には有効期間がある。

▶ 新規認定と更新認定で有効期間が異なる。

パッと見でつかむ！

認定の効力

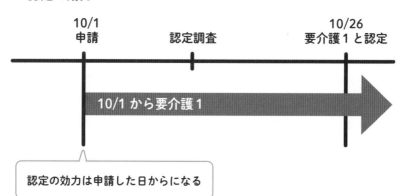

認定の有効期間

	新規認定	区分変更認定	更新認定
原則	6 か月	6 か月	12 か月
延長・短縮	3 ～ 12 か月	3 ～ 12 か月	3 ～ 36 か月※ ※前の要介護・要支援の 区分と同じ場合は、 3 ～ 48 か月

くわしく見てみよう！

 5 min

　要介護認定・要支援認定の効力は、**申請した日から**となります。たとえば、10月1日に申請をして10月26日に要介護1と認定された場合、10月1日から要介護1と認められるということです。市町村は申請があった日から原則30日以内に要介護認定・要支援認定の結果を被保険者に通知するよう定められています。しかし、すぐに介護保険サービスの利用が必要で30日も待てないということもあるため、申請と同時に介護保険サービスが利用できるよう、申請日にさかのぼって有効になるしくみとなっています。

認定には有効期間がある

　市町村は、要介護認定・要支援認定を行う際、認定の有効期間を設定します。有効期間の後も要介護状態が続くと考えられる場合は、**更新認定**の申請を行います。また、認定の有効期間中であっても被保険者の状態が変化した場合は、**区分変更**の申請を行うことができます。

　新規認定と区分変更認定の有効期間は**原則6か月**です。ただし、市町村が必要と認める場合には、3か月から12か月の範囲で期間を設定することができます。更新認定の有効期間は**原則12か月**で、こちらは3か月から36か月の範囲で期間を設定できます。前回の要介護・要支援の区分と同じ場合は、最長で48か月まで有効期間を延長することが可能です。更新認定では、前の認定の有効期間の翌日から効力が発生します。

◯✖ で試験問題にチャレンジ！

 2 min

1　新規認定の効力は、申請日にさかのぼって生ずる。　　第22回問題23

2　更新認定の有効期間は、原則として、12月間である。　第24回問題17

答え　1：◯　2：◯

14 保険給付の種類

パッと見でつかむ！ 2 min

★ 保険給付の3種類

【介護給付】 要介護者

居宅サービス

地域密着型サービス

施設サービス

居宅介護支援

【予防給付】 要支援者

介護予防サービス

地域密着型介護予防サービス

介護予防支援

【市町村特別給付】

要介護者　　要支援者

配食サービスなど
市町村独自のサービス

くわしく見てみよう！

　保険給付とは、要介護状態・要支援状態になったときに給付されるサービスや金銭のことをいいます。介護保険には3つの給付があり、それぞれ対象者や給付の内容が異なります。

　介護給付は、**要介護1から要介護5の被保険者**を対象とした給付です。訪問介護や通所介護などの居宅サービスや、施設サービスなどを利用し、利用者がサービスにかかる費用の1割を負担した場合、残り9割が介護給付として支給されます。ケアプランの作成等を行う居宅介護支援にかかる費用（居宅介護サービス計画費）は、全額が保険給付されます。

　予防給付は、**要支援1・要支援2の被保険者**が対象です。介護予防訪問看護や介護予防通所リハビリテーションといった介護予防サービス、地域密着型介護予防サービス、介護予防支援を対象に給付されます。

　市町村特別給付は、**要介護者と要支援者**が対象になります。配食サービスや移送サービス、寝具乾燥サービスといった介護給付・予防給付にはないサービスを、市町村が条例で定めることができます。

市町村特別給付の財源は第1号被保険者の保険料

　介護給付と予防給付は公費と保険料が財源となり、第1号被保険者と第2号被保険者の保険料が使われています（→52ページ）。一方、市町村特別給付は公費負担がなく、その市町村の第1号被保険者の保険料のみでまかなわれています。

○✕ で試験問題にチャレンジ！

1　居宅介護サービス計画費は全額保険から給付されるため、利用者負担が生じることはない。
第10回問題5

2　市町村特別給付は、介護保険法において市町村が条例で定めることとされている。
第24回問題6改変

答え　1:○　2:○

15 事業者・施設

絶対おさえるポイント

▶ 人員基準・設備基準・運営基準を満たさなければならない。

▶ 指定は6年ごとに更新する必要がある。

▶ 指定はサービスによって都道府県知事または市町村長が行う。

パッと見でつかむ！

指定を受けるために満たさなければならない3つの基準

人員基準	設備基準	運営基準

職種や人数など	居室の広さなど	委員会の開催や計画作成者など

事業者・施設の指定

都道府県知事が指定・許可

● 指定居宅サービス事業者
  訪問看護、通所介護など

● 指定介護予防サービス事業者
  介護予防訪問看護など

● 介護保険施設
  介護老人福祉施設、介護医療院など

（ポイント）
事業規模が大きい事業

市町村長が指定

● 指定居宅介護支援事業者

● 指定介護予防支援事業者

● 指定地域密着型サービス事業者

● 指定地域密着型介護予防サービス事業者

（ポイント）
・事業規模が小さい事業
・「支援」がつく事業
・「型」がつく事業

くわしく見てみよう！ 5 min

　介護保険サービスは保険料と公費を財源として提供されるサービスです。そのため、提供される介護サービスに極端な差が出ないようサービスを提供する事業者に対し、一定の基準を設けています。これを指定基準といい、①**人員基準**、②**設備基準**、③**運営基準**があります。人員基準では専門職の配置数や必要数を、設備基準では食堂や相談室の設置、居室の広さなどを定めています。運営基準は利用者に対する支援に関する基準です。「正当な理由なくサービス提供を拒否してはいけない」「契約するときは丁寧に説明する」といったことが定めてあります。①〜③の基準をクリアすることで介護保険サービス事業者として指定を受け、介護保険サービスを提供することができるようになります。ただし、一度指定を受ければよいということではなく、**6年ごと**に更新する必要があります。

事業者は都道府県知事または市町村長が指定する

　事業者を指定するのは、**都道府県知事または市町村長**です。市町村長が指定するサービスは事業名に「支援」または「型」といった言葉がつきます。「支援」がつくサービスには居宅介護支援・介護予防支援があり、これらの事業者はケアプラン作成を行います。「型」がつくサービスは夜間対応型訪問介護など、その市町村に居住する利用者を対象とした地域密着型サービスで、利用定員が少ないのが特徴です。そのほかのサービス事業者や介護保険施設の指定（許可）は、都道府県知事が行います。

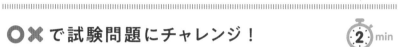 ○✖ で試験問題にチャレンジ！ 2 min

1　6年ごとに更新を受けなければ、効力を失う。　第22回問題5

2　認知症対応型共同生活介護は、都道府県知事が指定する事業者が行う。　第24回問題9改変

答え　1：○　2：✖

16 利用者負担

絶対おさえるポイント

▶ 利用者は利用したサービスの費用の1割から3割を負担する。

▶ 償還払いは、利用者がいったん費用の全額を負担した後、市町村から給付の対象額を受け取る。

▶ 法定代理受領は、事業者が利用者から自己負担分を、残りの給付対象額を市町村から受け取る。

パッと見でつかむ！

償還払い（1割負担の場合）

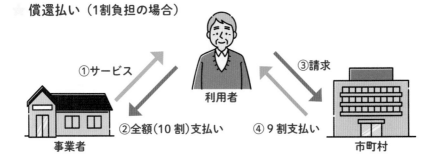

法定代理受領（1割負担の場合）

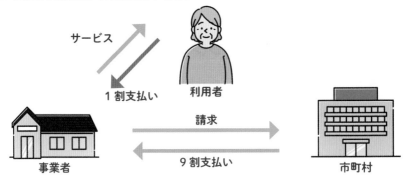

くわしく見てみよう！ 5 min

　介護保険サービスを利用した場合、利用者は年金収入等に応じてサービスにかかる費用の**1割から3割**を支払います。この支払い方法には、償還払いと法定代理受領の2種類があります。1割負担の利用者を例にみていきましょう。

　償還払いは、まず利用者がサービスにかかる費用の全額（10割）を事業者に支払います。その後、利用者が市町村に対して保険給付の対象額（9割）の払い戻しの申請を行い、市町村が利用者に9割分を金銭給付します。

　介護保険サービスは法律上、本来は償還払いとされています。しかし、利用者が利用しづらいため、実際には法定代理受領が一般的です。

　法定代理受領では、まず事業者・施設は利用者に提供したサービスの費用の利用者負担分（1割）を請求します。そして、残りの費用（9割）を利用者に代わって市町村に請求し、市町村から支払いを受けます。市町村は、これらの業務を国民健康保険団体連合会（国保連）（→76ページ）へ委託することができるため、実際には国保連に請求します。

現物給付が認められていないサービス

　法定代理受領（現物給付）ができないサービスには、福祉用具の購入や住宅改修など支払いが一度ですむサービスや、高額介護サービス費、高額医療合算介護サービス費などがあります。これらは償還払いです。

○✖ で試験問題にチャレンジ！

1 　法定代理受領方式で現物給付化される保険給付がある。第22回再試験問題1

2 　居宅介護福祉用具購入費の支給は、現物給付化されている。

第26回問題8改変

答え　1：○　2：✖

49

17 利用者負担を軽減するための給付

絶対おさえるポイント

▶ 利用者負担には世帯単位で上限がある。

▶ 高額介護サービス費は償還払いで給付される。

▶ 特定入所者介護サービス費は低所得者の負担軽減を目的としている。

パッと見でつかむ！

☆ 高額介護（介護予防）サービス費

夫婦（1世帯）

利用者負担額
3万円（月）

利用者負担額
2万円（月）

世帯の合計支払い額	−	所得段階に応じた上限額	=	市町村から払い戻される額（高額介護サービス費）
5万円（3万円＋2万円）		4万4400円		5600円

☆ 特定入所者介護（介護予防）サービス費

施設サービスや短期入所サービスを利用したときの負担額

利用者負担　＋　食費　＋　居住費（滞在費）

所得段階に応じて減額される
（特定入所者介護サービス費）

くわしく見てみよう！

高額介護（介護予防）サービス費

　介護保険サービスを利用すると、所得に応じて1割から3割の利用者負担があります。この金額が大きくなると、サービス利用を続けるのが困難になる等の支障もあることから、所得段階に応じて5段階の上限額が定められています。利用者が介護保険サービスの利用料金を支払い、一定額を超えた場合は、市町村に申請を行うと**上限額を超えて支払った金額が払い戻し**されます。要介護者の場合は高額介護サービス費、要支援者の場合は高額介護予防サービス費といいます。

　この制度では、**同じ世帯**の利用者が支払った1か月あたりの利用者負担の合計を対象としています。ただし、福祉用具購入費、住宅改修費、施設サービスを利用した際の食費や居住費などは対象にはなりません。

特定入所者介護（介護予防）サービス費

　介護保険施設や短期入所サービスを利用した際、食費と居住費（滞在費）は原則として利用者が負担します。低所得者にはこの一部を介護保険から給付して**負担を軽減する**制度があります。この給付を要介護者の場合は特定入所者介護サービス費、要支援者の場合は特定入所者介護予防サービス費といいます。対象者には介護保険負担限度額認定証が交付され、サービスを利用するときに事業者に提示します。給付額は世帯収入や本人と配偶者の預貯金などによって4段階で定められています。

○✖ で試験問題にチャレンジ！

1　高額介護サービス費は、世帯単位で算定される。　　　第23回問題7

2　特定入所者介護サービス費の対象となる費用は、食費と居住費（滞在費）である。　　　　　　　　　　　　　　　　　　　　第23回問題8改変

答え　1：○　2：○

18 介護保険の財政構造

絶対おさえるポイント

▶ 介護保険の財源は保険料と公費で50%ずつ負担する。

▶ 居宅サービスと施設サービスは公費負担の割合が異なる。

▶ 調整交付金は市町村の財政格差を埋めるために国から交付される。

パッと見でつかむ！

☆ 介護保険の財政構造

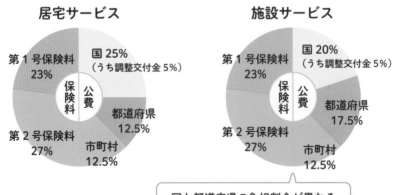

財源は保険料と公費で50%ずつ負担する

居宅サービス　　　施設サービス

国と都道府県の負担割合が異なる

◉ Check !

☐ 調整交付金
市町村格差をなくすために国から交付されるお金。財政が厳しい市町村には多く交付する。

くわしく見てみよう！

 5 min

　介護保険の財源は、**保険料と公費（税金）でそれぞれ50%ずつ負担**しています。保険料の内訳は、第1号被保険者の保険料が23%、第2号被保険者の保険料が27%です。この割合のことを負担率といいます。負担率は、第1号被保険者と第2号被保険者の1人あたりの保険料が同じ水準となるように国が定め、3年に一度見直されます。

　もう半分の公費で負担する分は、国、都道府県、市町村がそれぞれ負担しています。居宅サービスについては国が25%、都道府県が12.5%、市町村が12.5%です。居宅サービスと施設サービスでは、国と都道府県の負担割合がそれぞれ異なります。

調整交付金は市町村の格差を埋めることが目的

　国が負担する費用のなかには、すべての市町村に一律に交付される定率負担とは別に、調整交付金というものがあります。調整交付金は市町村の財政状況をふまえて、**どの市町村でも支障なく介護保険が運営できるように交付される**お金です。左の図では国が調整交付金を5%負担することになっていますが、これは全国の平均値で、実際は市町村によって割合が異なります。たとえば、第1号被保険者のなかでも75歳以上の後期高齢者の割合が高い市町村では、介護保険サービスを利用する人が多くなると考えられるため、こうした市町村には調整交付金が5%より多く交付されることがあります。

○✖ で試験問題にチャレンジ！

 2 min

1　介護給付及び予防給付に要する費用の50%は、公費により賄われる。

第24回問題12

2　国は、介護保険の財政の調整を行うため、市町村に対して調整交付金を交付する。

第25回問題9

答え　1：○　2：○

19 第1号被保険者の保険料

絶対おさえるポイント

▶ 第1号被保険者の保険料は市町村が条例で定める。

▶ 特別徴収は年金から保険料を天引きする。

▶ 普通徴収は被保険者が納付書で保険料を納める。

パッと見でつかむ！

☆ 保険料の徴収方法

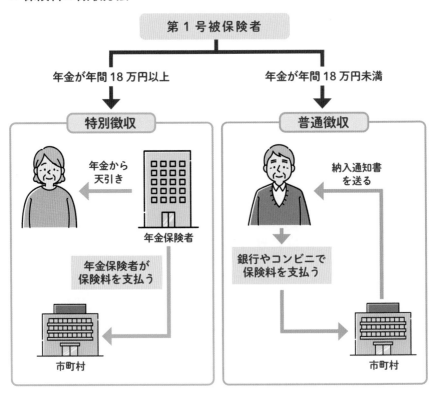

くわしく見てみよう！ ⑤min

住民票がある人が65歳になると介護保険の第1号被保険者になり、市町村に介護保険料を納めることになります。第1号被保険者の保険料の金額は**市町村が条例**で定めます。そのため、市町村によって金額が異なります。たとえば、要介護者が多く介護保険サービスの利用が多い市町村は、保険料も高くなる傾向があります。一人ひとりの保険料は被保険者の所得段階に応じて13段階に分けられます。

第1号被保険者の保険料の支払い方法は、特別徴収と普通徴収があります。**特別徴収**は年間18万円以上の年金をもらっている人が対象です。この方法では被保険者が受給している年金から保険料が天引きされます。年金保険者は天引きした金額を市町村に納付します。

普通徴収は年金額が年間18万円未満の人が対象です。市町村が被保険者に介護保険料の納入通知書を送付し、被保険者は銀行やコンビニエンスストアなどで保険料を支払います。

保険料の減免等

第1号被保険者が災害により財産が著しく損害を受けた、主たる生計維持者の死亡や心身の障害により収入が著しく減少したなどの理由で保険料を支払うことが困難な場合、市町村は条例により保険料の減免や徴収猶予をすることができます。

○✖ で試験問題にチャレンジ！ ②min

1 第1号被保険者の保険料は、政令で定める基準に従い市町村が条例で定める。
第25回問題10改変

2 第1号被保険者の保険料に係る特別徴収は、社会保険診療報酬支払基金が行う。
第23回問題11

答え 1：○ 2：✖

① 介護保険制度の知識

20 第2号被保険者の保険料

絶対おさえるポイント

▶ 第2号被保険者の保険料は医療保険者が定めて徴収する。

▶ 医療保険者は社会保険診療報酬支払基金に保険料を納付する。

▶ 社会保険診療報酬支払基金が納付金を各市町村に交付する。

パッと見でつかむ！

第2号被保険者の保険料

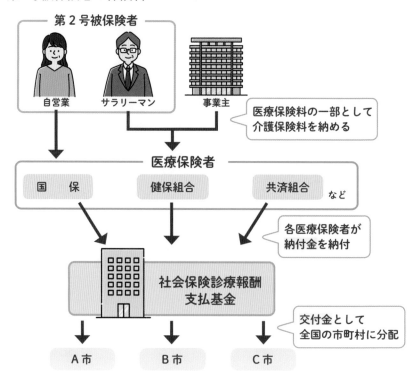

くわしく見てみよう！

介護保険の第2号被保険者の条件は、医療保険に加入していることです。この第2号被保険者の介護保険料は、医療保険者がそれぞれ定めます。そのため、医療保険者によって介護保険料が異なります。

医療保険者が介護保険料を徴収

第2号被保険者の介護保険料は、被保険者が加入する**医療保険者**が医療保険料の一部として徴収します。自営業などで国民健康保険に加入している被保険者は、国民健康保険の保険料とあわせて納めます。会社勤めで健康保険に加入している被保険者は、健康保険と同様に、事業主と折半して介護保険料を納めることになります。

各医療保険者は、第2号被保険者から徴収した介護保険料を**社会保険診療報酬支払基金**に納付します。この機関の役割は、各医療保険者から第2号被保険者の介護保険料をいったん集めて、各市町村に分配することです。

具体的には、社会保険診療報酬支払基金は、医療保険者が徴収した介護保険料を**介護給付費・地域支援事業支援納付金**として受け取ります。そのお金を**介護給付費交付金と地域支援事業支援交付金**として全国の市町村に交付するのです。

○✕ で試験問題にチャレンジ！

1 第2号被保険者の保険料は、被保険者が住所を有する市町村が徴収する。
　　　　　　　　　　　　　　　　　　　　　　　　　　　第24回問題4

2 地域支援事業支援交付金は、社会保険診療報酬支払基金が医療保険者から徴収する納付金をもって充てる。
　　　　　　　　　　　　　　　　　　　　　　　　　　　第25回問題9

答え　1：✕　2：○

1　介護保険制度の知識

21 財政安定化基金

▶ 市町村の介護保険財政の安定化を目的としてお金を積み立てる。

▶ 都道府県に設置され、市町村の財源が不足したときに貸付・交付を行う。

▶ 財源は国・都道府県・市町村が3分の1ずつ負担する。

パッと見でつかむ！ ②min

⭐ 財政安定化基金の負担割合

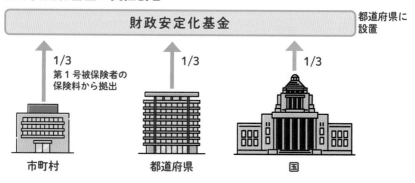

財政安定化基金 ← 都道府県に設置

1/3
第1号被保険者の保険料から拠出

1/3

1/3

市町村　　都道府県　　国

⭐ 貸付と交付

○給付費が見込みを上回って不足した場合

収入	貸付（全額）
支出	

市町村に対して必要な資金を全額貸付

○保険料未納により収入が不足した場合

収入	交付（1/2）	貸付（1/2）
支出		

市町村に対して不足額の1/2を交付、残り1/2を貸付

貸付金は借り入れた期の次の計画期間に第1号被保険者の保険料で無利子で返済する

58

くわしく見てみよう！

　市町村は、家計と同じように計画（市町村介護保険事業計画（→70ページ））を立てて介護保険を運営しています。収支が計画どおりであればよいのですが、介護保険料の未納やサービス利用の実際の量が計画を上回ったことなどによりお金が足りなくなる場合は赤字となります。介護保険は独立した会計（特別会計）で運用しているため、一般会計やほかの特別会計からお金を繰り入れて赤字を補うことはできません。

　そこで登場するのが**財政安定化基金**です。「基金」とは、特定の目的のために積み立てておく資金のことをいいます。財政安定化基金は、市町村の介護保険財政の安定化を目的として都道府県に設置されます。その財源は国・都道府県・市町村がそれぞれ**3分の1ずつ**負担し、市町村の介護保険の財源が不足した際に貸付や交付を行います。

　貸付・交付の方法は、財源不足の理由が市町村にある場合と、そうとはいえない場合で異なります。見込みよりも保険給付が上回る場合は、市町村に責任があるとし**貸付**のみを、保険料の未納などの市町村だけに責任があるとはいえない場合は**貸付と交付**を行います。

　市町村が借り入れたお金を返済するときは、その市町村の第1号被保険者の保険料を財源とし、借り入れをした期の次の期に返済を行わなければなりません。たとえば、第9期介護保険事業計画の期間に借り入れたお金は、第10期の3年間に分割して返済することになります。

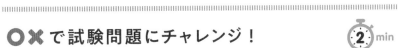

⭕❌ で試験問題にチャレンジ！

1　国は、財政安定化基金を設置する。　　　　　　　　　　第21回問題4

2　財政安定化基金の財源の負担割合は、国2分の1、都道府県4分の1、市町村4分の1である。　　　　　　　　　　第24回問題11改変

答え　1：❌　2：❌

地域支援事業の全体像

地域支援事業

介護予防・日常生活支援総合事業（総合事業）

→ 62ページ

サービス・活動事業

- 訪問型サービス（第1号訪問事業）
- 通所型サービス（第1号通所事業）
- その他生活支援サービス（第1号生活支援事業）
- 介護予防ケアマネジメント（第1号介護予防支援事業）

対象者
- ・基本チェックリスト該当者
- ・要支援1・2の人
- ・継続利用要介護者（要介護認定を受ける前から第1号事業を利用していた人）

一般介護予防事業

- 介護予防把握事業
- 介護予防普及啓発事業
- 地域介護予防活動支援事業
- 一般介護予防事業評価事業
- 地域リハビリテーション活動支援事業

対象者
すべての第1号被保険者とその支援をする人

包括的支援事業

地域包括支援センターの運営
➡ 66ページ

●第1号介護予防支援事業
　（要支援者にかかるものを除く）
●総合相談支援事業
●権利擁護事業
●包括的・継続的ケアマ
　ネジメント支援事業

社会保障充実分
➡ 68ページ

❶在宅医療・介護連携推進事業
❷生活支援体制整備事業
❸認知症総合支援事業
❹地域ケア会議推進事業
❶〜❸は地域包括支援センター以外に
委託できる

任意事業

家族介護支援事業、
介護給付等費用適
正化事業など市町
村の判断で行う

22 地域支援事業❶ 介護予防・日常生活支援総合事業

絶対おさえるポイント

▶ 総合事業を運営するのは市町村である。

▶ 介護予防を目的としている。

▶ 地域の実情に応じ市町村が事業の内容を定める。

パッと見でつかむ！

介護予防・日常生活支援総合事業

サービス・活動事業

対象：要支援1・2の認定を受けた人、基本チェックリスト該当者、継続利用要介護者

・訪問型サービス

・通所型サービス

・その他生活支援サービス
（栄養改善の配食、見守りボランティア）

・介護予防ケアマネジメント
（ケアプラン作成）

一般介護予防事業

対象：すべての第1号被保険者とその支援をする人

・介護予防把握事業

・介護予防普及啓発事業

・地域介護予防活動支援事業

・一般介護予防事業評価事業

・地域リハビリテーション活動支援事業

くわしく見てみよう！ ⑤ min

地域支援事業は、①介護予防・日常生活支援総合事業（以下、総合事業）、②包括的支援事業、③任意事業から構成されます。

総合事業は、**市町村が地域の高齢者に対して介護予防を行う**事業です。この事業の特徴は、**地域の実情に応じて市町村がサービスの内容を定める**ことができる点です。介護保険サービスのように全国一律の基準が定められているわけではありません。総合事業には、介護予防・生活支援サービス事業と一般介護予防事業があります。

サービス・活動事業

訪問型サービスや通所型サービスがあり、専門職だけでなく地域のボランティア等によるサービス提供も可能となっています。対象者は、**要支援1・2の認定を受けた人（第2号被保険者を含む）と、基本チェックリスト該当者、継続利用要介護者**です。基本チェックリストとは、65歳以上の高齢者を対象に、心身の衰えがないかを25項目の質問を通して確認するシートのことです。

一般介護予防事業

すべての第1号被保険者とその支援をする人を対象にしています。運動教室や高齢者サロンを開催し、自ら健康チェックを行い健康に対する意識を高めたり、地域住民が主体となって介護予防に取り組めるようボランティアの育成などを行ったりします。

○✕ で試験問題にチャレンジ！ ② min

1　要支援者は、サービス・活動事業の対象となる。

第24回問題14改変

2　一般介護予防事業には、介護予防に関するボランティア等の人材の育成が含まれる。　　第22回再試験問題13

答え　1:○　2:○

右側余白：

❶ 介護保険制度の知識

23 地域包括支援センター

パッと見でつかむ！

☆ 地域包括支援センター

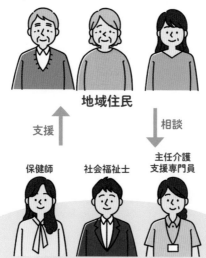

地域住民

支援 ↑ ↓ 相談

保健師　社会福祉士　主任介護支援専門員

地域包括支援センター

医療サービス　　　　　　　社会福祉協議会

介護サービス　　ネットワークづくり　　ケアマネジャー

行政機関　　民生委員・自治会

くわしく見てみよう！ 5 min

地域包括支援センターは、**地域住民の健康の保持と生活の安定のために必要な援助やネットワークづくりを行う**機関です。介護が必要な状態になっても住み慣れた地域で自分らしい暮らしが続けられるよう、地域の医療や介護などが一体的に提供される体制を地域包括ケアシステムといい、その要となるのが地域包括支援センターです。

実施主体は市町村です。地域住民がアクセスしやすいよう、おおむね中学校区に1か所を目安として設置されます。人口規模や地理特性から1つの市町村に複数のセンターを設置することが多く、市町村の実情によって直営での運営が難しいこともあります。そのため、医療法人や社会福祉法人などに業務を委託することも可能とされています。市町村が運営する地域包括支援センターを直営型、委託運営している地域包括支援センターを委託型といいます。地域包括支援センターの基準は、市町村が条例で定めます。

地域包括支援センターは、地域のさまざまな課題に対応するため、職員として**保健師・社会福祉士・主任介護支援専門員の3職種**を配置することになっています。主任介護支援専門員とは、一定の条件（ケアマネジャーとして5年以上の経験など）を満たして研修を修了した専門職です。職員には守秘義務が課されています。

○✕で試験問題にチャレンジ！ 2 min

1 社会福祉法人は、地域包括支援センターを設置できない。

第19回問題3改変

2 地域包括支援センターは、地域における保健・医療・福祉サービスをはじめとする様々な関係者とのネットワークの構築を図る。

第11回問題55改変

答え 1：✕ 2：○

24 地域支援事業❸ 包括的支援事業（地域包括支援センターの運営）

絶対おさえるポイント

▶ 高齢者にかかわる生活全般の相談窓口となる。

▶ 高齢者の権利擁護にかかわる活動を行う。

▶ 地域のケアマネジャーへの支援を行う。

パッと見でつかむ！

★ 地域包括支援センターの業務

第1号介護予防支援事業（要支援者を除く）

・総合事業が適切に提供されるよう必要な援助を行う

総合相談支援事業

・高齢者の生活全般についての相談窓口
・地域の関係者とのネットワークづくり

権利擁護事業

・高齢者虐待、消費者被害への対応
・成年後見制度の活用促進

包括的・継続的ケアマネジメント支援事業

・社会資源とのネットワークづくり
・ケアマネジャーへのサポート

くわしく見てみよう！ 5 min

　地域包括支援センターが主要な業務として担っているのが包括的支援事業です。柱は4つあります。

　1つめは、基本チェックリスト該当者に対して総合事業が包括的かつ効率的に提供されるように必要な援助を行う**第1号介護予防支援事業**です。

　2つめに**総合相談支援事業**があります。地域のネットワークを構築するためには地域の実態把握が必要です。そのため、地域包括支援センターは高齢者に関するさまざまな相談の窓口として、高齢者やその家族からの相談対応をしたり、地域で支援を必要としている高齢者を早期に発見できるよう、職員が地域に出向き、自治会や民生委員などとのネットワークづくりを行ったりします。この業務の一部を居宅介護支援事業者（→84ページ）等に委託することができます。

　3つめは**権利擁護事業**です。高齢者は虐待や消費者被害などを受けやすい立場にあります。そこで、虐待があった場合は行政機関と連携して支援を行ったり、お金の管理が難しい高齢者には成年後見制度（→142ページ）を利用するための支援を行ったりします。

　4つめは**包括的・継続的ケアマネジメント支援事業**です。高齢者の状態やニーズに応じて、介護や医療だけでなく、高齢者の生活にかかわるあらゆる社会資源が総合的に連携し合い、その支援が切れ目なく提供できる体制を構築します。具体的には、地域のケアマネジャーへの助言や指導といったサポートを行います。

○✖ で試験問題にチャレンジ！ 2 min

1 　総合相談支援事業は、包括的支援事業の1つである。　　第18回問題6改変

答え　1：○

25 地域支援事業❹ 包括的支援事業（社会保障充実分）

パッと見でつかむ！

★ 包括的支援事業（社会保障充実分）

❶ 在宅医療・介護連携推進事業

在宅医療と介護が切れ目なく提供できるように体制を整備する

❷ 生活支援体制整備事業

生活支援コーディネーター

新たな資源を創出し、ネットワークをつくる

❸ 認知症総合支援事業

認知症初期集中支援チーム

認知症の早期発見と悪化防止に取り組む

❹ 地域ケア会議推進事業

個別ケースの検討など、地域がかかえる課題を把握し解決する

❶～❸は地域包括支援センター以外に委託可能

68

くわしく見てみよう！ 5 min

　包括的支援事業（社会保障充実分）には、①在宅医療・介護連携推進事業、②生活支援体制整備事業、③認知症総合支援事業、④地域ケア会議推進事業の4つの事業があります。このうち①～③の事業は**地域包括支援センター以外に委託**することが可能です。

　在宅医療・介護連携推進事業は、地域に住む高齢者が医療と介護を切れ目なく受けることができるしくみをつくる事業です。地域の医療と介護の連携についての課題を把握し、その解決に向けて取り組みます。

　生活支援体制整備事業は、地域で支え合う体制づくりを推進することを目的としています。地域の高齢者がかかえるニーズに対して、生活支援コーディネーター（地域支え合い推進員）が地域のボランティアやNPOが行うサービスをコーディネートします。

　認知症総合支援事業は、認知症になっても住み慣れた地域で自分らしく生活できる地域づくりの推進を目的としています。地域包括支援センターや病院などの関係機関に認知症初期集中支援チームを配置し、認知症高齢者の早期発見や必要な支援体制の構築を行います。

　地域ケア会議推進事業の「地域ケア会議」とは、行政職員、医療や介護の専門職、民生委員等が参加して地域の課題について話し合う会議です。課題解決に向けて、ネットワークづくりや必要とされるサービスの開発などを行います。

○✖ で試験問題にチャレンジ！ 2 min

1　生活支援コーディネーター（地域支え合い推進員）は、包括的支援事業において配置することとされている。
　　　　　　　　　　　　　　　　　　　　　　　第25回問題12改変

2　在宅医療・介護連携推進事業は、地域支援事業の包括的支援事業に含まれる。
　　　　　　　　　　　　　　　　　　　　　　　第26回問題13改変

答え 1：○ 2：○

26 市町村介護保険事業計画

絶対おさえるポイント

▶ 市町村は介護保険事業計画に基づいて介護保険を運営する。

▶ 国が定めた基本指針に即して策定する。

▶ 計画は3年ごとに見直される。

パッと見でつかむ！

☆ 市町村介護保険事業計画

❶ 地域の実態の把握

・高齢者の人口動態
・介護保険サービスの利用率など

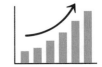

❷ 利用者数の見込みと、必要なサービス量

・認知症対応型共同生活介護などの必要利用定員総数の見込み（年度ごと）
・介護給付等対象サービスの種類ごとの量の見込み（年度ごと）
・地域支援事業の量の見込み（年度ごと）

❸ 市町村が取り組むべき施策

・健康づくりの施策
・認知症介護の施策　など

くわしく見てみよう！

 5 min

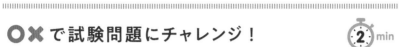

　市町村は計画に基づいて介護保険を運営しています。この計画のことを市町村介護保険事業計画といい、市町村が作成するよう介護保険法で定められています。**国が定める基本指針に即して作成**し、3年に一度見直すことが義務づけられています。

　では、計画の中身をみていきましょう。市町村介護保険事業計画は、一般企業の事業計画と同じように、想定される利用人数からサービスの必要量を割り出し、予算を立てます。まず、地域の実態を調査することから、高齢者の人口動態や介護サービスの利用率などを見積もります。その結果をふまえ、3年間で予測される利用者数の見込みと、必要なサービス量を割り出します。必要なサービス量というのは、地域密着型サービスや訪問介護などの居宅サービスがどのくらい必要かということです。これらのサービスの必要量をサービスの種類ごとに算出します。また、地域支援事業（→60ページ）についても量の見込みを定めることとされています。

　また、介護保険サービスだけでなく、市町村が取り組むべき施策についても定めるものとされています。具体的には、介護予防と要介護状態の軽減や悪化防止に対する施策のことです。地域の実態により内容は異なり、たとえば、健康づくりを目的とした高齢者サロン、認知症介護に関する施策などを定めます。

〇✖ で試験問題にチャレンジ！

2 min

1　市町村介護保険事業計画は、都道府県知事の定める基本指針に基づき作成されなければならない。

第22回問題8改変

2　介護給付等対象サービスの種類ごとの量の見込みは、市町村介護保険事業計画において定めるべき事項である。

第24回問題13改変

答え　1：✖　2：〇

1 介護保険制度の知識

27 都道府県 介護保険事業支援計画

絶対おさえるポイント

▶ 市町村の介護保険運営をサポートするための計画である。

▶ 国が定める基本指針に即して3年ごとに見直される。

▶ 関係するほかの計画と足並みをそろえる。

パッと見でつかむ！

★ 都道府県介護保険事業支援計画の内容

❶ 必要な介護サービスの量の見込み

・地域密着型特定施設入居者生活介護などの必要利用定員総数（年度ごと）

・介護保険施設の種類ごとの必要入所定員総数（年度ごと）

・介護給付等対象サービスの量の見込み（年度ごと）

❷ 市町村の支援に関し、都道府県が取り組むべき施策

・市町村介護保険事業の支援

・市町村間での連絡調整

★ ほかの計画との関係性

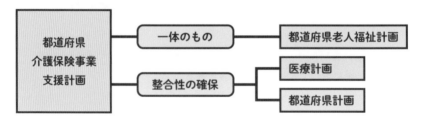

都道府県は、**国が定める基本指針**に即して、都道府県介護保険事業支援計画を策定します。市町村の計画と同様に、**3年を1期**とします。

　都道府県の計画では、都道府県全体のサービスの必要数や見込み量を算出します。都道府県知事が指定（許可）を行う介護保険施設の種類ごとの必要入所定員総数や、市町村長が指定する地域密着型特定施設入居者生活介護などの必要利用定員総数などを計画に定めます。その際には特定の地域にサービスがかたよらないよう、広域的な視点から必要な介護サービス量の見込みを計画します。

　また、市町村が介護保険事業を円滑に運営できるように、都道府県が取り組むべき具体的な施策について定めます。たとえば、市町村間での連絡調整や、市町村が行う介護予防への取り組みに対してアドバイスや指導をすることです。

関係するほかの計画と足並みをそろえる

　都道府県は、老人福祉や医療に関するさまざまな計画を策定します。それらを無視して都道府県介護保険事業支援計画を策定しても、うまくいくはずがありません。そのため、**都道府県老人福祉計画とは「一体」のもの**として、また、医療と介護の連携の観点から**医療法に定める医療計画や医療介護総合確保法に定める都道府県計画とは「整合性」をとる**ことが必要となります。

◯✖ で試験問題にチャレンジ！ ②min

1　市町村介護保険事業計画及び都道府県介護保険事業支援計画は、3年を1期として定める。　　　　　　　　　　　　　第12回問題7

2　介護保険施設の種類ごとの必要入所定員総数の見込みは、都道府県介護保険事業支援計画で定める事項である。　　第22回再試験問題10

答え 1:◯ 2:◯

28 介護サービス情報の公表

絶対おさえるポイント

▶ 都道府県知事は介護サービス情報の公表を行う。

▶ 情報の内容は毎年更新される。

▶ 利用者は介護サービス事業者の情報をインターネットで閲覧できる。

パッと見でつかむ！

★ 介護サービス情報の公表

事業者

介護サービス情報を報告

・サービスの提供を開始するとき
・毎年1回

必要に応じて調査

都道府県

情報を公表

利用者はインターネットで
介護サービス情報を見られる

★ 介護サービス情報

基本情報	事業所の名称・所在地・職員体制・サービスの内容や提供時間　など
運営情報	介護サービスのマニュアルの有無、サービスの提供内容の記録管理の有無　など
任意報告情報	要介護の改善状況、転倒発生の状況　など

介護サービス情報の公表は介護保険法に基づいて行われています。介護サービス情報とは、**介護サービスの内容や運営に関する情報**のことです。利用者が介護サービスを比較検討し、決めることができるように情報を公表します。

　介護サービス事業者（介護保険サービスを提供する事業所や施設）は、サービスの提供を開始するときに事業所の名称やサービスの内容などの基本情報を都道府県知事に報告します。また、毎年、自身の介護サービスに関する情報（基本情報・運営情報・任意報告情報）を**都道府県知事に報告しなければなりません**。事業者から報告を受けた都道府県知事は、その内容をインターネットで公表します。利用者はパソコンやスマートフォンから全国の介護サービス情報を閲覧することができます。

　都道府県知事は、事業者が虚偽の報告をした場合や報告を行わない場合、その事業者に対し、報告内容の是正・報告・調査を受けることを命じることができます。事業者がこれらの命令に従わない場合は、指定（許可）の取り消しや、期間を定めて効力の全部または一部停止を行うことができます。

　なお、都道府県知事は、介護サービス情報の報告内容の調査を指定調査機関に、情報公表に関する事務を指定情報公表センターに行わせることができます。

⭕❌ で試験問題にチャレンジ！

1　原則として、介護サービス事業者は、毎年、介護サービス情報を報告する。
第25回問題14

2　介護サービス事業者のうち、指定地域密着型サービス事業者は、介護サービス情報を市町村長に報告しなければならない。　第22回再試験問題15

答え　1：⭕　2：❌

29 国民健康保険団体連合会

絶対おさえるポイント

▶ 市町村は介護報酬の審査・支払を国保連に委託できる。

▶ 市町村は第三者行為求償事務を国保連に委託できる。

▶ 国保連は独自の業務として苦情処理を行う。

パッと見でつかむ！

★ 介護報酬の審査・支払の流れ

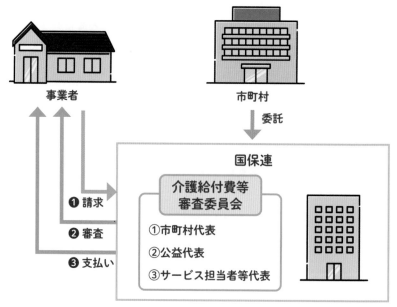

くわしく見てみよう！ 5 min

国民健康保険団体連合会（以下、国保連）は、市町村から委託を受けて**介護報酬や総合事業**（→62ページ）**に要する費用の審査・支払業務**を行います。介護報酬とは、サービス提供事業者や施設が利用者に介護保険サービスを提供したときにその対価として支払われるお金のことです。

介護報酬は市町村から支払われることになっていますが（→48ページ）、市町村は国保連に業務を委託できるため、事業者や施設は国保連に費用を請求します。請求を受けた国保連は**介護給付費等審査委員会**で請求内容のチェックを行い、介護報酬を支払うという流れです。介護給付費等審査委員会は国保連に設置され、①市町村代表委員、②公益代表委員、③介護給付等対象サービスまたは介護予防・日常生活支援総合事業担当者代表委員で構成されます。

また、介護保険では、交通事故などの第三者行為によって被保険者が要介護状態等になり、介護保険サービスを利用した場合、市町村は加害者に対してその保険給付費を請求できます。この損害賠償金を加害者に請求して徴収する事務のことを**第三者行為求償事務**といい、国保連は市町村からの委託を受けて行います。

ほかにも、国保連の独立した業務として、**苦情処理業務**が行われています。利用者等から介護保険サービスについての苦情を受け付けて、調査をし、必要に応じて事業者に指導・助言を行います。

○✗ で試験問題にチャレンジ！ 2 min

1 介護給付費等審査委員会の設置は、介護保険法で定める国民健康保険団体連合会が行う業務の1つである。 第25回問題13改変

2 国民健康保険団体連合会は、事業者に対する必要な指導及び助言を行う。 第25回問題15

答え 1:○ 2:○

30 介護保険審査会

パッと見でつかむ！

★ 介護保険審査会への審査請求（不服申立）

不服がある場合

行政処分
要介護認定や
保険料の決定

市町村

審査請求

介護保険審査会
・被保険者代表　3人
・市町村代表　3人
・公益代表　3人以上

法令に従って
正しく行われ
たか確認

裁　決

くわしく見てみよう！

　被保険者は、市町村が行う要介護認定や保険料の徴収等に不服がある場合、**介護保険審査会に審査請求（不服申立）を行う**ことができます。介護保険審査会は、都道府県に1か所ずつ設置される第三者機関です。被保険者と市町村のトラブルを調べ、判断する（審理・裁決を行う）立場であり、中立・公平であることが求められます。そのため、**都道府県知事からの指揮監督を受けることのない独立した機関**となります。

　介護保険審査会の委員は、被保険者代表委員3人、市町村代表委員3人、公益代表委員3人以上とし、都道府県知事が任命します。被保険者から介護保険審査会に審査請求があると、要介護（要支援）認定以外の申立は、会長、被保険者代表委員3人、市町村代表委員3人、会長以外の公益代表委員から介護保険審査会が指名する2人で審理・裁決を行います。

　要介護（要支援）認定に関する審査請求は、公益代表委員のみで審理・裁決を行います。しかし、公益代表委員は要介護（要支援）認定の専門家ではありません。そのため、迅速かつ正確に審理・裁決ができるよう**専門調査員**を助っ人として配置することができます。専門調査員は都道府県知事が任命し、保健・医療・福祉の学識経験者で構成されます。専門調査員と公益代表委員が協力することで正確に審理・裁決を行っています。

○✕ で試験問題にチャレンジ！

1　要介護認定に関する処分は、介護保険審査会への審査請求が認められる。

第26回問題16改変

2　介護保険審査会は、都道府県知事の指揮監督の下で裁決を行う。

第22回再試験問題14

答え　1：○　2：✕

31 介護支援専門員（ケアマネジャー）

絶対おさえるポイント

▶ 都道府県知事の登録を受けて介護支援専門員になることができる。

▶ 介護支援専門員証の有効期間は原則5年である。

▶ 介護支援専門員は、利用者本位の立場で自立支援を行う。

パッと見でつかむ！

★ 介護支援専門員

❶ 法定資格保有者と相談援助に従事する者で、
5年以上の実務経験を有する

↓

❷ 介護支援専門員実務研修受講試験に合格する

↓

❸ 介護支援専門員実務研修を修了する

↓

❹ 都道府県知事の登録を受け、
介護支援専門員証を受け取る

くわしく見てみよう！

　介護支援専門員は介護保険法に基づく資格で、ケアマネジャーと呼ばれます。介護保険制度の要として、利用者が介護サービスを適切に利用できるように計画の作成や関係機関との調整などを行います。

　介護支援専門員になるためには4つのステップをクリアすることが必要です。まず、①特定の資格をもち5年以上の実務を有する等（→10ページ）、一定の要件を満たさなければなりません。次に、②都道府県知事が年に1回実施する試験を受験し、合格することが必要です。③合格すると介護支援専門員実務研修を受講することができます。④研修修了後、都道府県知事に介護支援専門員としての登録申請を行います。都道府県が登録を行うと**介護支援専門員証が交付**され、介護支援専門員として実務に就くことができるようになります。介護支援専門員資格は更新制です。有効期間は**原則5年**とされ、継続して介護支援専門員の仕事を続けるためには、更新研修を受講する必要があります。

介護支援専門員の基本視点

　介護支援専門員は、**要介護状態・要支援状態にある高齢者の自立を支援する専門職**です。利用者の希望や意欲を尊重し、利用者自身が尊厳を保持できるよう、その人のもっている力（ストレングス）を引き出せるように支援を行います。利用者の生活の質（QOL）が高まるように支援することが大切です。

○✖ で試験問題にチャレンジ！

1　更新研修を受けた者は、介護支援専門員証の有効期間を更新することができる。
第25回問題6

2　介護支援専門員証の有効期間は、5年である。
第24回問題10

答え 1:○ 2:○

32 ケアマネジメント

▶ アセスメントによりニーズを明確にする。

▶ サービス担当者会議はケアプラン原案をもとに検討する。

▶ ケアプランは利用者の同意を得る必要がある。

パッと見でつかむ！

☆ ケアマネジメントのプロセス

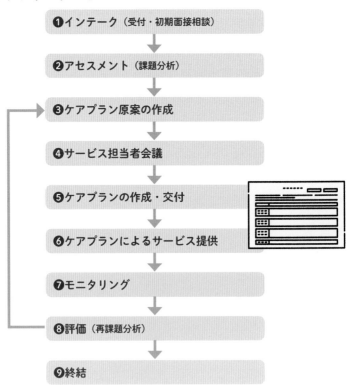

❶ インテーク（受付・初期面接相談）

❷ アセスメント（課題分析）

❸ ケアプラン原案の作成

❹ サービス担当者会議

❺ ケアプランの作成・交付

❻ ケアプランによるサービス提供

❼ モニタリング

❽ 評価（再課題分析）

❾ 終結

くわしく見てみよう！ 5 min

　介護保険サービスを利用するには、ケアプランが必要です。これを作成するのがケアマネジャーであり、ケアプランに基づいて利用者本位のサービスを提供する手法をケアマネジメントといいます。

　ポイントの1つが**アセスメント（課題分析）**です。ケアマネジャーは利用者や家族と面談し、生活で困っていることなどを聴き取りながら生活全般の解決すべき課題（ニーズ）を明確にします。そして、利用者がどのような生活を望むのかを目標として設定し、ケアプランの原案を作成します。

　サービス担当者会議は、利用者、家族、主治医やサービス事業者などを集めて開催します。利用者が目標とする生活に向けて、サービス事業者等がどのように支援を行うか、また利用者自身や家族が行うことなどを具体的に話し合います。このとき介護保険サービスだけでなく近隣住民などの**インフォーマルサポートを活用する**ことも検討します。利用者の同意を得たうえで関係機関に修正したケアプランを交付します。

　ケアマネジャーはサービスがケアプランに沿って提供され、計画どおりの支援が行われているか、新しい課題が発生していないかを確認する**モニタリング**を定期的に行います。目標の達成度が低かったり、新たな課題が生じたりしていれば改めてアセスメントを行い、ケアプランを修正します。この循環をケアマネジメントプロセスといいます。

○✕ で試験問題にチャレンジ！ 2 min

1　アセスメントは、利用者との初回面接から居宅サービス計画の作成・交付までの一連の流れを指す。
第24回問題20改変

2　介護予防サービス計画には、地域の住民による自発的な活動によるサービス等の利用も含めて位置付けるよう努めなければならない。
第25回問題22改変

答え　1：✕　2：○

33 居宅介護支援

絶対おさえるポイント

▶ 事業所の管理者は原則、主任介護支援専門員である。

▶ 居宅介護支援は公正中立に行わなければならない。

▶ 居宅介護支援の提供に際し、文書により説明と同意が必要になる。

パッと見でつかむ！

☆ 居宅介護支援

人員基準	管理者 主任介護支援専門員	 ケアマネジャー
基本方針・運営基準	**基本方針** 常に利用者の立場に立って、提供されるサービスが特定の種類や事業者にかたよらないよう、公正中立に行わなければならない。	
	開始するとき ・あらかじめ、利用申し込み者または家族に説明し、同意を得て開始する。 ・説明するときは、重要事項を記した文書を交付する。	
	提供拒否の禁止 ・正当な理由なくサービス提供を拒んではならない。 【正当な理由となるもの】 これ以上の数は利用の申し込みに応じきれない 申し込み者の居住地がサービス提供実施地域ではない　など	

くわしく見てみよう！

 5 min

くわしく見てみよう！

34 介護予防支援

絶対おさえるポイント

▶ 介護予防支援は要支援者に対するケアマネジメントをいう。

▶ 地域包括支援センターと居宅介護支援事業者が指定を受けられる。

▶ 管理者は常勤専従である。

パッと見でつかむ！

☆ 地域包括支援センター

管理者
原則、常勤専従

・保健師　　　　　・社会福祉士
・ケアマネジャー　・経験のある看護師
・社会福祉主事（相談業務に3年以上従事）

☆ 居宅介護支援事業者

管理者
常勤専従
主任介護支援専門員

ケアマネジャー

⚲ Check！

☐ 業務の委託
　地域包括支援センターは、介護予防支援業務の一部を居宅介護支援事業者に委託できる。

介護予防支援は、**要支援者に対するケアマネジメント**のことをいいます。予防給付によるサービスを受ける場合には介護予防サービス計画を作成します。介護予防支援事業者は、利用者が生活機能の改善を実現できるよう、**目標志向型**の介護予防サービス計画を策定しなければなりません。

　これまで介護予防支援事業者の指定を受けられるのは**地域包括支援センター**だけでした。地域包括支援センターから委託を受けた場合に居宅介護支援事業者が介護予防支援を行っていましたが、2024年度（令和6年度）より**居宅介護支援事業者**も介護予防支援事業者として指定を受けられることになりました。ただし、居宅介護支援事業者の本来の役割は要介護を対象とした居宅介護支援ですので、介護予防支援を行う場合は、居宅介護支援の業務に支障がないよう配慮しなければなりません。

　管理者は、**常勤専従**であることが必要です。地域包括支援センターの場合には資格要件はありませんが、居宅介護支援事業者の場合は原則、主任介護支援専門員であることが要件となります。

　従業者は、地域包括支援センターの担当職員（保健師、ケアマネジャー、社会福祉士、経験のある看護師、高齢者保健福祉に関する相談業務等に3年以上従事した社会福祉主事）と居宅介護支援事業所のケアマネジャーです。

　介護予防支援事業の運営基準は、居宅介護支援事業（→84ページ）の運営基準と基本的に同じです。

○✖ で試験問題にチャレンジ！ 2 min

1　管理者は、非常勤でもよい。　　　　　　　　　　第22回再試験問題8

答え　1：✖

35 施設介護支援

▶ 介護保険施設の入所者は入所判定委員会で決定する。

▶ 施設サービスは、施設サービス計画に基づいて提供される。

▶ 施設サービス計画は、計画担当介護支援専門員が作成する。

パッと見でつかむ！

☆ 入所の流れ

入所の申し込み

入所希望者のなかから入所に関する検討のための委員会で優先順位を検討し入所者を決定

入所後、計画担当介護支援専門員がケアプランを作成

くわしく見てみよう！

施設介護支援とは、**介護保険施設**におけるケアマネジメントを指します。施設介護支援のプロセスは居宅介護支援と同じ（→82ページ）です。

介護保険施設では入所判定を行って入所します。これがインテーク段階にあたります。介護保険施設の定員に空きがでると、**入所に関する検討のための委員会**を開催し、入所希望者の要介護区分や生活状況などの情報をもとに施設サービスの必要性について検討します。そして、施設サービスの必要性が高い要介護者から入所することになります。なお、介護老人保健施設は在宅復帰を目的とする施設のため、入所後は3か月に1回、退所が可能か検討され、在宅復帰の促進を図ります。

施設サービスを利用する際もケアプラン（施設サービス計画）が必要です。施設の管理者は、施設に在籍するケアマネジャーに施設サービス計画の作成に関する業務を行わせます。この施設サービス計画を作成する人を**計画担当介護支援専門員**といいます。計画担当介護支援専門員が入所者とその家族に面接してアセスメントを行います。

施設サービス計画に沿ってサービスが提供された後はモニタリングを行います。施設介護支援でのモニタリングは、継続的・定期的に行うこととされ、毎月実施するなど期間の定めはありません。入所者の状態に応じて、モニタリングや再アセスメントをします。施設介護支援は、利用者が在宅復帰したり死亡した場合などに終結となります。

○✖ で試験問題にチャレンジ！

1 指定介護老人福祉施設の施設サービス計画は、介護支援専門員以外の者も作成できる。 第26回問題22改変

2 施設サービス計画に基づき介護福祉施設サービスを行う。

第22回再試験問題9

答え 1：✖ 2：○

【介護保険制度の知識】
＋αで確認しよう

■ 適用除外施設　　　　　　　　　　→ 24ページ

　次の施設に入所・入院している人は、その施設で介護のサービスを
受けているため、介護保険の被保険者にはなりません。

○ 指定障害者支援施設（生活介護＋施設入所支援）
○ 障害者支援施設
○ 医療型障害児入所施設
○ 障害児入所支援を行う医療機関
○ 独立行政法人国立重度知的障害者総合施設のぞみの園が設置する施設
○ 国立ハンセン病療養所等の療養病床
○ 救護施設
○ 被災労働者の受ける介護の援護を図るために必要な事業にかかる施設
○ 指定障害福祉サービス事業者である療養介護を行う病院

■ 特定疾病　　　　　　　　　　→ 30ページ

　第2号被保険者は、次のいずれかの疾患が原因の場合に要介護認定
等を受けることができます。試験に出たもの（マーカー部分）を中心に
確認しましょう。

① がん（がん末期）
② 関節リウマチ
③ 筋萎縮性側索硬化症
④ 後縦靱帯骨化症
⑤ 骨折を伴う骨粗鬆症
⑥ 初老期における認知症
⑦ 進行性核上性麻痺／
　大脳皮質基底核変性症／
　パーキンソン病
⑧ 脊髄小脳変性症
⑨ 脊柱管狭窄症
⑩ 早老症
⑪ 多系統萎縮症
⑫ 糖尿病性神経障害／
　糖尿病性腎症／糖尿病性網膜症
⑬ 脳血管疾患
⑭ 閉塞性動脈硬化症
⑮ 慢性閉塞性肺疾患
⑯ 両側の膝関節または股関節に
　著しい変形を伴う変形性関節症

第 2 章

保健・医療の知識

1 老年症候群

絶対おさえるポイント

▶ 老年症候群は加齢に伴い生活機能やQOLを低下させる症状・病態である。

▶ サルコペニアは加齢に伴う骨格筋量の減少、筋力や身体機能の低下をいう。

▶ フレイルは、高齢になって筋力や活動が低下している状態である。

パッと見でつかむ！

★ サルコペニアとフレイル

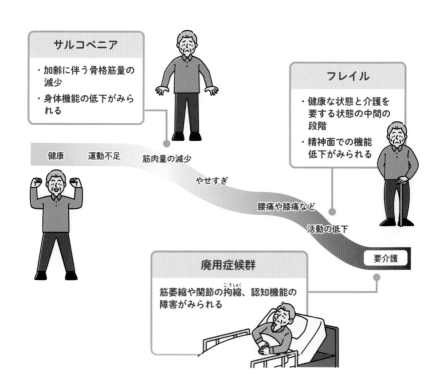

サルコペニア
・加齢に伴う骨格筋量の減少
・身体機能の低下がみられる

フレイル
・健康な状態と介護を要する状態の中間の段階
・精神面での機能低下がみられる

健康　運動不足　筋肉量の減少

やせすぎ

腰痛や膝痛など

活動の低下

要介護

廃用症候群
筋萎縮や関節の拘縮、認知機能の障害がみられる

くわしく見てみよう！

 5 min

高齢期の生活機能やQOL（生活の質）を低下させる症状や病態のことを老年症候群といいます。原因は加齢による身体機能の衰えや社会的役割の喪失など多様で、複数の原因が重なることもあります。症状や病態も多様で、せん妄や抑うつ、認知機能障害、不眠、脱水、めまい、視聴覚障害などがあります。ここでは、サルコペニア（加齢性筋肉減弱症）とフレイル（虚弱）をみていきます。

サルコペニアは、加齢に伴い**筋肉量が減少し、筋力や身体機能が低下した状態**をいいます。歩くスピードが落ちる、頻繁につまずく、握力が低下しペットボトルやビンのふたが開けにくくなるなどの症状がみられます。

フレイルは、高齢になって筋力や**活動が低下している状態**をいい、健康な状態と介護を要する状態の中間的な段階です。身体機能の低下に加え、認知機能低下や気力の減退など、精神的な機能も低下している状態です。要因としては、低栄養やサルコペニアなどがあります。①体重減少、②筋力低下、③疲れやすい、④歩行速度低下、⑤身体活動レベルの低下の5つのうち、3つ以上あてはまればフレイルとみなされます。

フレイルが進行すると廃用症候群を引き起こします。廃用症候群は、筋萎縮や関節の拘縮、認知機能の障害など、身体的・精神的機能が全般的に低下します。できる限り身体を動かして予防することが大切です。

○✖ で試験問題にチャレンジ！

 2 min

1　フレイルとは、健康な状態と介護を要する状態の中間的な状態である。

第26回問題26

2　廃用症候群には、精神的機能の低下は含まれない。　第12回問題38

答え　1：○　2：✖

2 保健・医療の知識

2 バイタルサイン

パッと見でつかむ！

☆ バイタルサイン

体温	・高体温：37℃以上 ・低体温：34℃以下 ・高齢者は原因がわからない不明熱が起きやすい
脈拍	・頻脈：1分間に 100 回以上 ・徐脈（じょみゃく）：1分間に 50 回未満 ・不整脈（脈のリズムが乱れること）の一種に心房細動がある
血圧	・一般的に動脈壁にかかる圧力のことをいう ・高齢者には高血圧症や起立性低血圧が多い
意識レベル	・傾眠：刺激がないと眠ってしまう ・昏迷：強い刺激でかろうじて開眼する ・昏睡：自発的運動がなく痛覚刺激に反応がない
呼吸	・高齢者は肺活量が低下する ・頻呼吸：1分間に 25 回以上 ・徐呼吸：1分間に 9 回以下 ・血中の酸素が欠乏するとチアノーゼになる

くわしく見てみよう！

　バイタルサインとは生命維持にかかわる身体の情報です。一般的に**体温、脈拍、血圧、意識レベル、呼吸**の5つを指します。

　高齢者は基礎代謝が低下するため、一般成人より体温は低くなります。**37℃以上を高体温**といい、感染症や脱水、熱中症、悪性症候群などで起こりやすくなります。**34℃以下を低体温**といい、環境や低栄養、甲状腺機能低下症、薬の影響による体温調節機能不全などが原因で起こりやすくなります。

　高齢者は加齢とともに血管が硬くなる（動脈硬化）ため、収縮期血圧（最高血圧）は高くなり、拡張期血圧（最低血圧）は低くなる傾向があります。また、血圧が高い状態が持続する**高血圧症**や、急に立ち上がったときにふらつきやめまいがする**起立性低血圧**は、高齢者によくみられます。

　高齢者は、一般成人と比べて1回の換気量（吸って吐いたときに出入りする空気の量）は変わりませんが、残気量（息を最大に吐き出したときに残る空気の量）は増えるため、**肺活量が低下**します。高齢者の正常な呼吸数は、1分間に15〜20回とされています。1分間に25回以上を頻呼吸、9回以下を徐呼吸といいます。頻呼吸の原因には発熱や心不全、呼吸器疾患など、徐呼吸の原因には糖尿病性ケトアシドーシス、脳卒中による昏睡などがあります。呼吸状態が悪くなると、血液中の酸素が欠乏し、爪や唇が紫色になるチアノーゼという症状がみられます。

○✕ で試験問題にチャレンジ！

1　バイタルサインとは、体温、脈拍、血圧、意識レベル及び呼吸である。

第24回問題27

2　加齢とともに血管の弾力が失われるため、収縮期血圧が低くなる傾向がある。

第25回問題28

答え　1：○　2：✕

3 検査

パッと見でつかむ！

★ 主な臨床検査

検査項目	検査結果からわかること
AST、ALT	・肝機能や胆道疾患の指標 ・AST は心臓や筋肉などの疾患、溶血性疾患でも上昇する
血清アルブミン	・高齢者の長期にわたる栄養状態の指標 ・血液中のたんぱく質の量がわかる
ヘモグロビン A1c	・糖尿病診断の指標 ・糖がヘモグロビンと結合している割合を示す ・過去 1 ～ 2 か月の平均的な血糖レベルを反映している
CRP	・炎症性疾患の炎症の程度 ・感染症、悪性腫瘍、膠原病（こうげんびょう）などで高値になる

くわしく見てみよう！ 5 min

医療機関では、健康状態の把握、病気の診断や治療効果の判定、経過の観察などの目的でさまざまな検査を行います。これを臨床検査といい、血液や尿などを検査する検体検査、心電図などの生理機能検査、レントゲン検査やCT検査などの画像検査、身長・体重等を測定する体格測定検査などがあります。

AST（GOT）とALT（GPT）の値は、**肝・胆道疾患の指標**となります。ASTは肝臓以外にも心臓や筋肉などの疾患、溶血性疾患で上昇します。γ-GTPも脂肪肝やアルコール性肝炎などで数値が上昇します。

血液中のたんぱく質の一種であるアルブミンは、**長期にわたる栄養状態をみるための指標**となります。血清アルブミン値が3.6g/dL以下になると骨格筋の減少が始まっている可能性があります。

ヘモグロビンA1cは、糖尿病の所見に使われる指標です。ブドウ糖と結合したヘモグロビンが血中にどの程度存在しているかを表しています。この値をみると、**過去1～2か月間の平均的な血糖レベル**を知ることができます。

CRP（C反応性たんぱく質）は、**炎症性疾患の炎症の程度**の判定に用いられ、感染症では高値になることが多いです。ほかにも、悪性腫瘍や膠原病などで高値になります。

○✕ で試験問題にチャレンジ！ 2 min

1 AST（GOT）・ALT（GPT）の値は、肝・胆道疾患の指標となる。

第25回問題29

2 ヘモグロビンA1cは、採血時の血糖レベルを評価するのに適している。

第26回問題28

答え 1：○ 2：✕

4 高齢者に多い 脳・神経の病気

絶対おさえるポイント

▶ 脳卒中には、脳梗塞、脳出血、くも膜下出血がある。

▶ 脳卒中は再発すると後遺症が重くなり、再発予防が重要である。

▶ パーキンソン病では、四大運動症状が特徴である。

パッと見でつかむ！

⭐ 脳卒中

原　因	高血圧や糖尿病、脂質異常症など
症　状	麻痺、感覚障害、高次脳機能障害など
生活上の留意点	食生活の見直し、適度な運動

⭐ パーキンソン病

振戦

身体のふるえ

筋固縮

筋肉が緊張する

四大運動症状

無動

動作が遅く、表情が乏しくなる

姿勢・歩行障害

小刻みに歩く

くわしく見てみよう！

脳卒中

　脳の血管が詰まったり、破れたりすることで脳の細胞が壊れ障害が起こる疾患を脳卒中といいます。**脳の血管が詰まる脳梗塞と、脳の血管が破れる脳出血、くも膜下出血**があります。

　脳卒中の初期症状には、顔にゆがみが出る、片方の手が上がらない、うまく話せないなどがあり、脳の損傷を受けた部位や程度によって麻痺などの後遺症が残ります。脳卒中は**再発するとさらに後遺症が重くなる**ため、再発の予防が重要です。塩分を控えるなどの食生活の見直しや、適度な運動、飲酒や喫煙といった嗜好を控えることがポイントです。

パーキンソン病

　パーキンソン病は、50～60歳代に発症することが多い神経変性疾患です。脳には体を動かすための指令を伝えるドパミンという物質があります。そのドパミンが減少することで運動機能に障害が起こります。

　手足がふるえる**振戦**は発症初期に多い症状で、進行すると、動作が鈍く表情も乏しくなる（仮面様顔貌）**無動**、筋肉を伸ばすとガクガクとした動き（歯車現象）になる**筋固縮**、上半身が前かがみになり小刻みに歩く**姿勢・歩行障害**が現れます。これらを四大運動症状といいます。ほかにも、自律神経症状や精神症状があります。治療は薬物療法を基本とします。筋力が低下して廃用症候群にならないよう運動療法も重要です。

2
保健・医療の知識

○✖ で試験問題にチャレンジ！

1　脳卒中は、再発すると後遺症が重くなることがある。　第24回問題39

2　パーキンソン病の場合、転倒しやすいため、運動療法は禁忌である。

第25回問題39

答え　1：○　2：✖

絶対おさえるポイント 1 min

▶ 変形性膝関節症^{へんけいせいしつかんせつしょう}は、加齢による膝関節の変形や肥満により発症する。

▶ 関節リウマチは、特徴的な症状として朝のこわばりがある。

▶ 脊柱管狭窄症^{せきちゅうかんきょうさくしょう}は、間欠性跛行^{かんけつせいはこう}がみられる。

パッと見でつかむ！ 2 min

変形性膝関節症

原因：軟骨^{なんこつ}がすり減ることで関節が変形し、骨端がふれて、炎症が生じる

症状：歩行時や膝を曲げたときの痛み

治療：鎮痛剤、減量や筋力をつけることも効果的

関節リウマチ

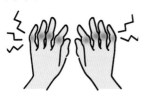

症状：関節の腫れと痛み、炎症は左右対称に出現する、朝のこわばり

治療：薬物療法、手術など

脊柱管狭窄症

痛み

回復

間欠性跛行

症状：腰痛や下肢痛、しびれ、間欠性跛行

治療：理学療法、薬物療法など

くわしく見てみよう！

5 min

変形性膝関節症は、膝の関節のクッションとなる軟骨がすり減ることで関節が変形し、炎症を起こして痛みが出る病気です。原因には加齢による**関節の変形や肥満による膝への負担**などがあります。減量や大腿四頭筋（太ももの前側の筋肉）をきたえることが膝への負担軽減に効果的です。根本的な治療は困難なため、発症初期は鎮痛剤の使用や運動療法を行いますが、症状が重くなると人工関節置換術なども行います。

関節リウマチは原因不明の自己免疫疾患で、関節が炎症を起こして腫れや痛みが出る病気です。腫れや痛みは手先、手関節から始まり、膝、股、肩などへ症状が拡大していきます。病状が進行すると、関節が不安定になり変形や拘縮が起きます。特徴的な症状として、**朝のこわばり**があります。起床時に指の関節の曲げ伸ばしが難しくなり、1時間以上その状態が続きます。治療法は、薬物療法やリハビリテーション、手術などがあります。

脊柱管狭窄症は背骨のなかの神経の通り道である脊柱管が狭くなり、神経が圧迫されることで、腰痛や下肢痛、しびれなどの症状がみられる病気です。しばらく歩くと足の痛みやしびれが出て歩けなくなり、少し休むと回復するものの、再び歩くと痛み出すといった**間欠性跛行**が特徴です。主な治療法は理学療法や薬物療法ですが、症状が進行すると手術を行うこともあります。

② 保健・医療の知識

○✖ で試験問題にチャレンジ！

2 min

1 変形性膝関節症の発症リスクは、減量をしたり、大腿四頭筋等の筋力を鍛えたりしても、低下しない。　　　　　　　　　第22回再試験問題37

2 関節リウマチでは、朝の起床時に指の関節がこわばり、屈曲しにくくなる。　　　　　　　　　　　　　　　　　　第20回問題27

答え 1：✖　2：○

6 高齢者に多い 循環器の病気

パッと見でつかむ！

☆ 心筋梗塞と狭心症の違い

	心筋梗塞	狭心症
病態	冠動脈が詰まる	冠動脈が狭窄する
症状	長引く前胸部の激しい痛み	前胸部の圧迫感
治療	詰まった冠動脈の再疎通療法	冠動脈を拡張する手術 ニトロ製剤の投与
生活上の留意点	生活習慣病（高血圧、脂質異常症、糖尿病、喫煙習慣など）の改善	

くわしく見てみよう！

心筋梗塞

心臓には、心臓の筋肉に酸素を送るための冠動脈があります。心筋梗塞は、この**冠動脈が動脈硬化などによって詰まる**ことで心筋が壊死する病気です。症状は突然、前胸部に激しい痛みが起こり持続します。心不全やショックを引き起こすと生命にかかわり、一刻も早く医療機関につなぐことが必要です。高齢者の場合は、症状が非特異的で、**痛みを感じない無痛性心筋梗塞**もみられ、発見や診断が遅れることがあります。

治療法は、発症後短時間であれば詰まった血管を再び開通させる再疎通療法が一般的です。再発予防として、生活習慣病（高血圧、脂質異常症、糖尿病、喫煙習慣など）に注意が必要です。

狭心症

狭心症は、**冠動脈が狭くなる**ことで一時的に心筋に酸素を供給することができなくなる病気です。症状は、徐々に前胸部が締めつけられるような圧迫感と痛みです。階段を上るなど運動時に発作が起こる労作性狭心症と、特に運動をしていないときにも発作が起こる異型狭心症があります。心筋梗塞と異なり、安静にすることで痛みが消失するのが特徴です。

治療法として、カテーテルを使用して細くなった血管を拡張する手術などがあります。発作時にはニトロ製剤を舌の下に入れて溶かします。狭心症の予防は、心筋梗塞と同様に生活習慣病の改善が効果的とされています。心筋梗塞と狭心症をあわせて**虚血性心疾患**といいます。

保健・医療の知識

○✕で試験問題にチャレンジ！

2 min

1　心筋梗塞の症状には、必ず強い胸痛がみられる。　　第24回問題38

2　狭心症では、前胸部の圧迫感が生じることはない。　　第25回問題26

答え　1：✕　2：✕

7 高齢者に多い 消化器・腎臓の病気

▶ 胃・十二指腸潰瘍（かいよう）の原因の1つにピロリ菌の感染がある。

▶ 慢性肝炎は持続すると肝硬変になりやすい。

▶ 慢性腎不全は、食事療法や透析療法が必要になることが多い。

パッと見でつかむ！

胃・十二指腸潰瘍

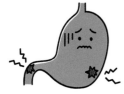

原因：ピロリ菌の感染、ストレス
症状：上腹部（みぞおち）の痛み、吐血（とけつ）、下血（げけつ）
治療：軽度は内服薬、重度は手術

肝炎

急性肝炎
原因：肝炎ウイルス（特にA型・E型）、自己免疫疾患（めんえき）
症状：全身の倦怠感、食欲不振、腹痛

慢性肝炎
原因：ウイルス性肝炎（B型肝炎・C型肝炎）など
症状：初期は無症状、進行すると肝硬変

腎不全

急性腎不全
原因：脱水や心不全など
症状：乏尿（ぼうにょう）や悪心（おしん）・嘔吐（おうと）など

慢性腎不全
原因：糖尿病や高血圧など
症状：全身倦怠感、動悸、頭痛、むくみなど
治療：食事療法や透析療法

胃・十二指腸潰瘍は、胃酸のはたらきによって胃や十二指腸の壁の一部が傷ついた状態です。**ピロリ菌**の感染が原因となることがあります。症状は上腹部（みぞおち）の痛みで、胃潰瘍では食後に、十二指腸潰瘍では空腹時に痛みが悪化します。重症化すると、吐血や下血（肛門から血が出る）、タール便（黒い便）といった症状が生じてきます。内服治療が基本となり、吐血などがある場合は内視鏡治療による止血を行います。

　肝炎は、急性肝炎と慢性肝炎に分類されます。急性肝炎は食品に含まれる肝炎ウイルス（A型・E型）が経口感染することが主な原因です。全身の倦怠感、食欲不振、腹痛といった症状があり、服薬治療を行います。重症化しなければ**予後は良好**です。慢性肝炎で最も多いのは、B型肝炎ウイルスやC型肝炎ウイルスが血液などと接触することで感染するケースです。初期は無症状ですが、**肝炎が持続すると肝細胞が壊れ、肝硬変になる**ことがあります。治療法は原因によって異なり、抗ウイルス薬の投与などを行います。

　腎不全は腎臓機能が低下する疾患で、急性腎不全と慢性腎不全があります。急性腎不全は、脱水や心不全などが原因で発症し、乏尿や悪心・嘔吐、むくみといった症状がみられます。慢性腎不全は、糖尿病や高血圧などが原因で長い期間を経て腎機能が低下した状態です。進行に伴い全身の倦怠感や動悸、頭痛、むくみなどがみられ、たんぱく質や水分、塩分の量を制限する**食事療法**や、必要に応じて**透析療法**を行います。

○✕ で試験問題にチャレンジ！　2 min

1　慢性腎不全では、水分やカリウムの摂取量に注意する必要がある。

第25回問題26

答え　1：○

2
保健・医療の知識

在宅自己注射・人工透析

▶ インスリン注射は食事量を確認し、低血糖に注意する。

▶ 血液透析では、シャントを傷つけないよう造設部位への圧迫を避ける。

▶ 腹膜透析は、腹膜の毛細血管を利用して透析を行う。

パッと見でつかむ！ ❷ min

☆ 在宅自己注射

利用者が自宅で注射を行うこと。インスリン注射が代表的。

ポイント

・注射するタイミングを守る。
・低血糖に注意する。
・体調不良時（シックデイ）は、自己判断で注射せず医師に
　相談する。

☆ 人工透析

腎機能が低下した人の血液をろ過して老廃物を取り除く治療法。

○血液透析…血液を取り出して機械でろ過する。

ポイント

・シャントへの衝撃に注意する。シャント側
　の腕で血圧測定はしない。

○腹膜透析…腹膜を利用して老廃物をろ過する。

ポイント

・カテーテルから細菌が入らないように清潔を徹底する。

くわしく見てみよう！

高齢者のなかには、自宅や施設での医療を必要とする人がいます。生活の場で行う医療を在宅医療といいます。

在宅自己注射

在宅自己注射とは、病気の治療のために利用者自ら在宅で注射をする方法です。代表的なものは糖尿病に対するインスリン注射です。体内のインスリン分泌の不足を補い、血糖値を下げる効果があります。**食事の量が少ないときや体調不良（シックデイ）のときには、注射剤の効果が強く出る**ことがあるため低血糖に注意が必要です。注射は家族が行うこともできます。

人工透析

人工透析は、腎機能が低下して血液のろ過が十分に行えない場合の治療法で、血液透析と腹膜透析の2種類があります。血液透析は血液を取り出して機械でろ過してから体に戻す方法です。片方の手首などにシャントと呼ばれる血液の出入り口をつくります。シャントは静脈と動脈を自己血管または人工血管でつなぎ合わせた部位であり、血圧の測定などは**シャントを造設していないほうの腕**で行います。

自宅でできる腹膜透析も広がっています。腹膜透析はカテーテルで腹膜のなかに透析液を注入し、**腹膜で老廃物や余分な水分を除去する**方法です。内臓の表面をおおう腹膜には毛細血管が網の目のように分布しており、これを利用して透析を行います。血液透析より通院回数が少ないですが、腹膜透析はカテーテルから細菌が入らないよう注意が必要です。

○✕ で試験問題にチャレンジ！

1 インスリンの自己注射の効果は、体調不良時（シックデイ）には強く出ることもある。

第22回再試験問題34

答え 1:○

2 保健・医療の知識

9 在宅医療管理 ②
経管栄養法・在宅中心静脈栄養法

▶ 経管栄養法は、カテーテルの定期的な交換が必要である。

▶ 在宅中心静脈栄養法は、点滴栄養剤を中心静脈に直接入れる方法である。

▶ 在宅中心静脈栄養法の利用者が入浴する際は、特別な配慮が必要となる。

パッと見でつかむ！

 2 min

経管栄養法

カテーテルを使い、胃や腸に栄養剤を注入する方法。

ポイント

・経鼻胃管はカテーテルが抜けると、流動食が肺
　に入る危険性がある。
・腸ろうは胃に病気がある人、誤嚥性肺炎を繰り
　返している人が対象となる。

在宅中心静脈栄養法

中心静脈から栄養剤を投与する方法。

ポイント

・カテーテルを長期にわたり入れたままにするた
　め、細菌感染を引き起こしやすい。
・入浴は特別な配慮が必要なため、医師等の医療
　職と相談する。

くわしく見てみよう！ **5** min

経管栄養法

　経管栄養法は、口から食事をとることが難しい人に対して栄養状態を確保することを目的に行われます。チューブやカテーテルを使い、**胃や腸に直接栄養剤を注入する**方法です。経鼻胃管、食道ろう、胃ろう、腸ろうがあり、患者の状態にあわせて注入法を選択します。

　口から食事をとる機会が減少するとだ液の分泌が少なくなります。だ液が減少することで口のなかをきれいにする力が低下し、細菌が増えやすくなるため、歯磨きなどの口腔ケアが大切です。また、感染症予防のため、カテーテルの定期的な交換が必要となっています。

在宅中心静脈栄養法

　在宅中心静脈栄養法は消化管（腸）の機能低下などの理由で、経管栄養法では栄養を吸収できなくなった人などに用いる方法です。鎖骨付近から心臓近くの**太い静脈（中心静脈）にカテーテルを入れて固定し、点滴と同じ方法で高濃度の栄養剤を投与**します。中心静脈栄養法を行う場合でも負担のない程度に口から食事をとれるよう支援を行います。

　在宅中心静脈栄養法のメリットには、点滴で確実に栄養を摂取できること、長期的に利用できること等があります。一方、長期的にカテーテルを入れたままにするため細菌感染を起こしやすくなります。入浴には特別な配慮が必要となるため医療職との連携が重要になります。

❷ 保健・医療の知識

○✖ で試験問題にチャレンジ！ **2** min

1　在宅経管栄養法では、カテーテルの定期的な交換は不要である。

第21回問題33

2　在宅中心静脈栄養法を実施している利用者が入浴する場合は、特別な配慮が必要である。　第22回問題34

答え　1：✖　2：○

10 在宅医療管理 ❸
在宅酸素療法・人工呼吸療法

絶対おさえるポイント

▶ 在宅酸素療法では、酸素流量は医師の指示に従う。

▶ 人工呼吸療法には、非侵襲的陽圧換気法と侵襲的陽圧換気法がある。

▶ 人工呼吸療法では、緊急時の対応方法や連絡先を確認し、予備電源などを用意しておく。

パッと見でつかむ！

在宅酸素療法

鼻カニューレなどを使って酸素を吸入する治療法。

> ポイント

・医師の指示なく酸素流量を上げてはいけない。
・機器を火気から 2m 以上離す。

人工呼吸療法

呼吸を補助する療法。マスクを装着する非侵襲的陽圧換気法と、
気管切開を伴う侵襲的陽圧換気法がある。

> ポイント

・停電時に備え、予備電源やアンビュー
　バッグを用意する。

非侵襲的陽圧換気法

くわしく見てみよう！

在宅酸素療法

　在宅酸素療法は、呼吸器疾患や心疾患などが原因で動脈血内の酸素量が少ない状態（低酸素血症）にある人に対して酸素投与を行う治療です。**鼻カニューレや酸素マスクなどを用いて酸素を吸入する**ことで、心臓や肺への負担を軽減します。自宅で使用する設置型酸素供給装置のほか、外出時や災害（停電）時には携帯用酸素ボンベを使用します。酸素流量については**医師の指示**が必要です。自己判断で酸素流量を上げると、呼吸が抑えられ意識障害を起こすおそれがあります。また、高濃度の酸素を使用するため、機器の2m以内は火気厳禁とされています。

人工呼吸療法

　人工呼吸療法は、呼吸機能が低下し、酸素の取り込みと二酸化炭素の排出が困難な人に対して機器を使用して呼吸を補助する療法です。**マスクなどを使用する非侵襲的陽圧換気法**（NPPV）と、**気管切開をして気管のなかに管を入れる侵襲的陽圧換気法**（IPPV）があります。どちらも機器を使用するため、機器トラブルや停電は生命維持に直結します。緊急事態を想定し、対応方法や連絡先を確認すること、予備電源を確保しておくこと、アンビューバッグ（患者にマスクをつけて、バッグを手で押すことで空気を送り込む器具）を用意して使い方を習得しておくことなどが必要です。

○✕ で試験問題にチャレンジ！

 2 min

1　在宅酸素療法において、携帯用酸素ボンベの使用に慣れれば、介護支援専門員の判断で酸素流量を設定してよい。　　　　　　　第26回問題36

2　人工呼吸療法には、侵襲的、非侵襲的に行うものの2種類がある。

第24回問題37

答え　1：✕　2：○

11 急変時の対応

絶対おさえるポイント

▶ 急変には事故、身体変化、心理的変化がある。

▶ 対応として、まずバイタルサインをチェックする。

▶ あらかじめ急変時の対応や緊急連絡先などを共有しておく。

パッと見でつかむ！

☆ 高齢者が急変したときの基本的な対応

事前の確認

・あらかじめ急変時の対応方法や緊急連絡先を共有しておく。

急変

・高齢者は、自覚症状や訴えがないことが多い。
・高齢者は、薬の副作用で急変する場合がある。

対応

・バイタルサインをチェックする。

☆ 事故による急変への対応

出血	心臓に近い部位を圧迫する。
窒息	異物を取り除く。 背中を叩くと排出することがある。
やけど	服の上から流水をあてて冷やす。

背部叩打法

くわしく見てみよう！

 5 min

高齢になると、免疫力（めんえきりょく）の低下や基礎疾患によって急変のリスクが高くなります。急変には、転倒などの事故によるもの、意識レベルの低下や発熱などの身体変化、せん妄や不眠などの心理的変化があります。

高齢者の容態に変化があったときは、まず**バイタルサイン**（→94ページ）**をチェック**します。痛みや刺激に反応がない場合、声をかけても反応がない場合は、脳卒中などのおそれがあるため緊急性が高いです。

高齢になると薬の副作用が出やすくなり、副作用で急変する場合があります。また、高齢者は**自覚症状や訴えがない**ことも多いため、注意する必要があります。

あらかじめ、**急変時の対応や緊急連絡先などの情報を主治医や家族、スタッフ間で共有しておく**ことが重要です。

高齢になると筋力や視力の低下、認知症、薬の副作用などの理由で転びやすくなります。出血がある場合は、傷口を清潔なガーゼなどで圧迫します。出血が多いときは、出血部より心臓に近い側を圧迫し止血します。

異物がのどに詰まった場合は、口を開けて異物を確認し、指で取り出します。効果がなければ、前かがみになってもらい背中を叩いて異物を取り出すようにします（背部叩打法）。

やけどはすぐに冷水で冷やします。服の下をやけどした場合は、無理に脱がすと痛みが増すおそれがあり、服の上から冷やします。

②
保健・医療の知識

○✕ で試験問題にチャレンジ！

 2 min

1 急変時に予想される事態への対応、緊急受診先等をあらかじめ主治医や家族と共有しておくことが望ましい。

第19回問題35

答え 1：○

12 感染症の予防

▶ 高齢者は、呼吸器感染症、尿路感染症、感染性胃腸炎、疥癬になりやすい。

▶ 感染経路には、接触感染、飛沫感染、空気感染、経口感染などがある。

▶ 感染予防に、標準予防策（スタンダード・プリコーション）がある。

パッと見でつかむ！

☆ 感染経路と予防策

	主な感染症	予防策
接触感染 感染者の皮膚や粘膜などに接触することで感染する	・ノロウイルス感染症 ・MRSA 感染症 ・疥癬	・手指衛生 ・介護をするときに身に着けた衣類は個別に洗濯する
飛沫感染 咳やくしゃみなどから感染する	・インフルエンザ ・新型コロナウイルス感染症	・マスクの着用 ・手指衛生
空気感染 病原体が長時間空気中に生存し、吸い込むことで感染する	・結核 ・麻疹（はしか） ・水痘（帯状疱疹）	・マスクの着用 ・手指衛生 ・換気
経口感染 菌のついた食べ物などにより経口摂取で感染する	・A 型肝炎 ・ノロウイルス感染症	・手指衛生

くわしく見てみよう！

 5 min

感染症は、病原性の細菌やウイルスが体内に侵入して引き起こす病気です。高齢者に起こりやすいのは、肺炎（誤嚥性肺炎含む）などの**呼吸器感染症**、膀胱炎などの**尿路感染症**、ノロウイルスなどによる**胃腸炎**、**疥癬**です。

感染経路には、**接触感染、飛沫感染、空気感染、経口感染**などがあります。接触感染は、感染者の皮膚や粘膜への接触、感染者が触れたものに触ることによる感染で、ノロウイルス感染症やMRSA感染症などがあります。

飛沫感染は、感染者が咳やくしゃみをすることで口からだ液などが飛び散り、そのなかに含まれる微生物が気道や目の粘膜から侵入することで感染します。代表的なものにインフルエンザや新型コロナウイルス感染症があります。

空気感染は、空気中を浮遊している微生物を吸い込むことで起こる感染症で、結核や麻疹などがあります。飛沫感染と似ていますが、空気感染の場合は微生物が長時間空気中を浮遊するため、感染者と離れた場所にいても感染する可能性があります。

経口感染は、菌のついたものに触った指で食べ物を持ったことなどにより経口摂取で感染することをいいます。

感染症にかかっているかどうかにかかわらず、すべての人に実施する感染予防策を**標準予防策（スタンダード・プリコーション）**といいます。

○✕ で試験問題にチャレンジ！

 2 min

1 標準予防策（スタンダード・プリコーション）とは、感染症の有無にかかわらず、すべての人に実施する感染予防対策である。

第23回問題39

答え　1：○

②保健・医療の知識

13 認知症の種類

パッと見でつかむ！

四大認知症

アルツハイマー型認知症

脳にたんぱく質がたまり、脳が萎縮する

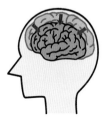

レビー小体型認知症

脳にレビー小体というたんぱく質がたまることで引き起こされる

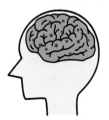

前頭側頭型認知症

前頭葉や側頭葉が萎縮して起こる

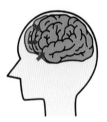

血管性認知症

脳の血管が詰まったり、破れたりすることで起こる

認知症とは、脳の後天的な障害によって、認知機能が低下し、生活に支障をきたすようになった状態をいいます。たとえば、朝食のメニューが思い出せないのは通常のもの忘れですが、認知症の場合は朝食をとったこと自体を忘れてしまうことがあります。

　認知症には、その状態を引き起こす原因疾患があります。アルツハイマー型認知症、レビー小体型認知症、前頭側頭型認知症は神経変性疾患といわれます。脳血管障害が原因で生じるのが血管性認知症です。

　アルツハイマー型認知症は女性に多いです。記憶障害が主症状で、初期には同じことを何度も尋ねるなどの症状がみられます。進行すると、家でトイレの場所がわからなくなるなどの見当識障害、もの盗られ妄想が現れます。

　レビー小体型認知症は症状が特徴的で、リアルな幻視や、手足のふるえなどのパーキンソン症状、自律神経症状、うつ症状などがみられます。

　前頭側頭型認知症は、我慢ができない、すぐに怒る、同じ行動を繰り返すなどの症状がみられるようになります。

　血管性認知症は、男性に多くみられ、記憶や判断といった認知機能が低下します。症状にむらがあるまだら認知症や、感情がコントロールできない感情失禁などの症状がみられます。適切な治療やリハビリテーションを行うことで、認知機能が改善することもあります。

　そのほか、正常圧水頭症や慢性硬膜下血腫（こうまく か けっしゅ）など治療できる認知症もあります。また、65歳未満で発症した認知症は若年性認知症といいます。

◯✕ で試験問題にチャレンジ！ **2** min

1　レビー小体型認知症では、幻視はみられない。　　　　第22回問題30

答え　1：✕

②保健・医療の知識

14 認知症の症状と認知症高齢者の支援

パッと見でつかむ！

中核症状とBPSD

くわしく見てみよう！

5 min

認知症の症状は大きく2つに分けられます。1つは、**中核症状**といわれる記憶障害や見当識障害、理解力の低下などの症状です。認知症になると必ず何らかの中核症状が出現します。もう1つは、**BPSD（行動・心理症状）** といい、暴言・暴力、不安、徘徊といった症状があります。BPSDは、孤立や不安、不適切な住環境、生活リズムの乱れや薬の副作用などさまざまな要因によって引き起こされます。**環境調整や適切な治療・ケアを行うことで、症状を改善する**ことが可能です。

パーソン・センタード・ケア

認知症の人を1人の人として尊重し、**認知症の人の立場に立ってケアを行う**という考え方をパーソン・センタード・ケアといいます。周囲の人や社会とかかわりをもち、本人が受け入れられていると実感できることが重要です。ほかにも、認知症の人とコミュニケーションを行うための技法やさまざまな非薬物療法が認知症の人の支援に活用されています。

認知症施策推進大綱

2019年（令和元年）に認知症施策推進大綱が策定されました。認知症になっても住み慣れた地域で自分らしく暮らし続けられる社会を目指し、認知症の人や家族の視点を重視しながら「共生」と「予防」に取り組むことを基本的な考え方としています。ここでいう予防とは、認知症になるのを遅らせる、認知症になっても進行を緩やかにすることです。

2
保健・医療の知識

○✖ で試験問題にチャレンジ！

2 min

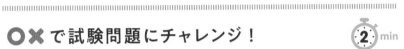

1　中核症状には、記憶障害、見当識障害などがある。　　第22回再試験問題28

2　パーソン・センタード・ケアは、介護者本位で効率よく行うケアである。

第25回問題32

答え　1：○　2：✖

15 リハビリテーション

絶対おさえるポイント 1 min

▶ リハビリテーションはその機能と時期により、予防的・治療的・維持的の3つがある。

▶ 医療保険と介護保険の両制度にわたって行われる。

▶ 廃用症候群の予防にも有効である。

パッと見でつかむ！ 2 min

リハビリテーションの流れ

予防的
リハビリテーション　　総合事業など

↓

病気・けが

治療的
リハビリテーション　　医療保険

廃用症候群の予防

● 急性期リハビリテーション
● 回復期リハビリテーション

↓

維持的
リハビリテーション　　介護保険

くわしく見てみよう！ ⏱5min

　リハビリテーションは、障害のある人がもてる力を最大限に発揮し、生きがいをもった生活を送れるように援助する活動のことです。予防的リハビリテーション、治療的リハビリテーション、維持的リハビリテーションの3つに分けることができます。

　予防的リハビリテーションは、加齢に伴う生活機能の低下や病気・障害を予防することを目的としています。公民館などで行われる運動教室や健康講座がこれに該当します。介護予防を目的とした地域支援事業の総合事業（→62ページ）の趣旨にも通じます。

　治療的リハビリテーションは、病気やけがをしたときに行うリハビリテーションです。病院で行うリハビリテーションなどがこれに該当し、医療保険のもとで行われます。治療的リハビリテーションは急性期と回復期に分けられます。急性期リハビリテーションは、発症直後から行い、廃用症候群の予防と早期からのセルフケアの自立を目標とします。回復期リハビリテーションは、機能回復や早期の社会復帰を目指して行われ、リハビリテーション専門職が集中的にかかわります。

　維持的リハビリテーションは、治療的リハビリテーションで改善、獲得した能力を失わないよう心身機能の維持を目的とします。介護保険の訪問リハビリテーションや通所リハビリテーションで行われます。

　高齢者のケアにおいては、**リハビリテーション前置主義**の考えにのっとり、適切かつタイムリーにリハビリテーションを行い、要介護状態の予防・軽減を図ることが大切です。

⭕❌ で試験問題にチャレンジ！ ⏱2min

1　高齢者のケアは、リハビリテーション後置主義にのっとっている。

第26回問題30

答え　1：❌

②保健・医療の知識

16 ターミナルケア

絶対おさえるポイント

▶ 終末期に行うケアをターミナルケアという。

▶ 終末期には徐々に進行していく衰えの経過がある。

▶ 人生の最終段階で本人が望む医療やケアについてあらかじめ話し合うことが大切である。

パッと見でつかむ！

⭐ ターミナルケア

死が間近に迫っている時期に行うケアのこと

終末期の体の変化	かかわり方やケアの方法
食欲が落ち、体重が減る	量よりも楽しみや満足感を重視する
便秘になりやすい 腹痛や腹部の張り	腹部をさする・温める、薬の量を調整することを医療職に相談する
褥瘡（じょくそう）ができやすい	特定の位置に体圧がかからないようにする、皮膚を清潔に保つ

📍Check！

☐ アドバンス・ケア・プランニング（ACP）
人生の最終段階で、自分が望む医療やケアなどについて、家族、医療・介護スタッフなどと事前に繰り返し話し合うこと。

死が間近に迫った時期を終末期（ターミナル期）といい、この時期に行われるケアを**ターミナルケア**といいます。近年では施設で終末期を過ごす人が増えており、医療と介護の連携が重要になっています。

終末期にはさまざまな症状や兆候がみられます。次第に食欲が減り、体重が減少していきます。利用者にとって食事をすすめられることが苦痛となる場合もあるため、病状に配慮しながら、食事の楽しみや満足感を重視したかかわりをします。また、食事や水分の摂取量が低下するため便秘になりやすく、腹痛や張りなどの自覚症状がみられることもあります。そのときは腹部を温める、医療職に相談して下剤などで不快感を取り除くといったケアを行います。終末期は褥瘡（→132ページ）ができやすいため、体位変換や皮膚の清潔、保湿などが重要です。

臨終が近づくと、顎だけが動いて喘ぐような呼吸（下顎呼吸）になります。声かけに反応がみられなくても耳は最期まで聞こえるといわれているので、いつもどおり語りかけることが大切です。

アドバンス・ケア・プランニング（ACP）

人生の最終段階に本人がどのような医療やケアを望むかについて、本人の意思決定を基本として話し合うことをアドバンス・ケア・プランニングといいます。本人や家族、親しい人、医療・介護スタッフなどが参加し、話し合った内容を文書にまとめておきます。終末期に限らず、元気なうちから話し合っておくことが大切です。

||||||||||||||||||||||||||||||||||||||||||||||||||||||||||||||||||||||||||||||||

○✕ で試験問題にチャレンジ！

1 アドバンス・ケア・プランニング（ACP）では、本人が死の直前になったときにのみ話し合う。
第22回問題41改変

||||||||||||||||||||||||||||||||||||||||||||||||||||||||||||||||||||||||||||||||

答え　1：✕

17 薬の知識

⏱ 1 min

絶対おさえるポイント

▶ 高齢になると薬の効果や副作用が出やすくなる。

▶ 高齢者の服薬は、上半身を起こして多めの水かぬるま湯で服用する。

▶ 食品と薬の組み合わせにより、薬の効果が変わることがある。

パッと見でつかむ！

⏱ 2 min

高齢者が薬を飲むときの注意点

飲み込み

・上半身を起こした姿勢で飲む。

・多めの水（ぬるま湯）で飲む。

・飲み込みづらい場合は、服薬補助ゼリーなどを検討する。

飲み忘れ

・お薬カレンダー、薬の一包化など工夫する。

・服薬量を間違えたり、薬が余ったりしているときは医師や薬剤師に連絡する。

一包化

食品との相互作用

【避けるべき食品と薬の組み合わせ】

納豆・クロレラ・緑色野菜 ⟶ ✕抗凝血薬（ワルファリンカリウム）

効果が弱まる

グレープフルーツジュース ⟶ ✕降圧剤、免疫抑制薬など

効果が強くなる

くわしく見てみよう！

 5 min

　高齢になると高血圧など慢性的な持病が多くなり、薬を飲んでいる人が増えます。高齢者は薬を体内で分解する代謝機能が低下し、**薬の効果や副作用が出やすくなる**ことがあります。具体的な副作用としては、下痢や便秘、発疹、眠気といったものがあり、生活に支障をきたすことも少なくありません。

高齢者が薬を飲むときの注意点

　薬が食道にとどまると、粘膜がただれ潰瘍（かいよう）になるおそれがあります。そのため、薬を飲むときは**上半身を起こした姿勢で**、**多めの水またはぬるま湯で飲む**ことが基本です。医師等の指示なく錠剤をつぶしたりしてはいけません。飲み込みづらい場合は、服薬補助ゼリーを使用したり、医師や薬剤師に相談してカプセルや粉薬に変更したりします。

　認知症などで飲み忘れがある場合は、お薬カレンダーの活用や薬を一包化するなどの工夫をします。もし飲み忘れを発見した場合は、医師や薬剤師に連絡し、指示を仰ぎます。

　また、**薬物相互作用**には注意する必要があります。薬物相互作用とは、複数の薬を服用する、または特定の食品と薬を組み合わせることで、本来の薬の性質が変化してしまい通常では現れない強い作用が出たり、逆に治療効果が弱くなったりすることをいいます。代表的な例として、納豆やクロレラ、緑色野菜などは血栓を予防する抗凝血薬（ワルファリンカリウム）と同時にとると、薬の効果が落ちてしまうことがあります。

②保健・医療の知識

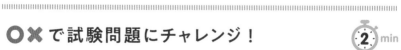

○✕で試験問題にチャレンジ！

2 min

1　高齢者では、若年者と異なり、薬の副作用は出ない。　　第24回問題39

2　内服薬は、通常、水又はぬるま湯で飲む。　　第25回問題34

答え　1：✕　2：○

18 栄養アセスメント

絶対おさえるポイント

▶ 栄養アセスメントは、栄養、食事に関する問題を総合的に評価する。

▶ 体重は栄養状態を評価するときの最も重要な指標となる。

▶ 上腕周囲長や下腿周囲長は、栄養状態やサルコペニアの指標となる。

パッと見でつかむ！

栄養アセスメントの視点

食事内容だけでなく、食欲や食事をとる環境もあわせて総合的なアセスメントを行う。

一人ひとりの状態にあわせて行う。

アセスメントの内容

- 食事内容
- 食欲や共食の機会
- 食事環境　など

📍Check！　栄養状態のバロメーター

☐ 身体計測
体重は栄養状態を知るうえで重要な指標となる。
BMI（（体重kg）÷（身長 m ×身長 m））は肥満度を表す指標となる。

☐ 上腕周囲長・下腿周囲長
上腕や下腿（ふくらはぎ）の周囲の長さは栄養状態やサルコペニアの指標となる。

くわしく見てみよう！

5 min

　高齢者は低栄養になりやすいといわれています。低栄養は病気や褥瘡（じょくそう）（→132ページ）などのリスクが高まるため、早期に発見することが大切です。そこで行われるのが栄養アセスメントです。栄養アセスメントでは、体重の変化や食事摂取量などさまざまな指標を使って**栄養状態や食事に関する総合的な評価**を行います。高齢者が食欲をなくすときは、老人ホームに入居するなどの環境の変化や親しい人の不幸など、複数の原因が重なっていることも少なくありません。そのため、１日の食事内容や身体状況だけをみて評価するのではなく、おいしく食事をしているか、だれと食べているか、買い物や調理はだれが行っているかなど、さまざまな視点で一人ひとりのアセスメントを行うことが必要です。

栄養状態のバロメーター

　栄養状態の目安として最も重要な指標は体重です。体重減少は身体が弱る前兆となることが多くあります。体重と身長をもとに算出できる指標としてBMI（肥満度を示す指数）があり、18.5未満を低体重と評価します。

　そのほか、上腕周囲長や下腿周囲長も簡単に計測できるため、栄養状態の指標として用いられることが多いです。上腕周囲長は上腕の周囲を測定した値、下腿周囲長はふくらはぎの周囲を測定した値になります。これらの値が低下することは、腕や足が細くなることを意味するため、栄養状態の低下やサルコペニア（→92ページ）の発見につながります。また、下腿周囲長は浮腫（ふしゅ）の有無の判断目安にもなります。

②保健・医療の知識

⭕❌ で試験問題にチャレンジ！

2 min

1　栄養に関するアセスメントでは、高齢者は、若年者に比べてエネルギー摂取量が少ないことを当然の前提とする。　　　　第24回問題35改変

答え　1：❌

19 食事の介護と口腔ケア

パッと見でつかむ！

摂食・嚥下のプロセス

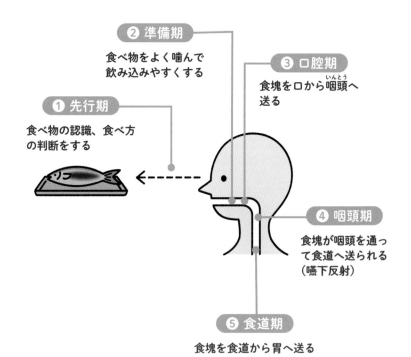

② 準備期
食べ物をよく噛んで
飲み込みやすくする

③ 口腔期
食塊を口から咽頭へ
送る

① 先行期
食べ物の認識、食べ方
の判断をする

④ 咽頭期
食塊が咽頭を通っ
て食道へ送られる
（嚥下反射）

⑤ 食道期
食塊を食道から胃へ送る

くわしく見てみよう！

 5 min

　口から食事をとることは、生命を維持するだけでなく、毎日の喜びや楽しみとなります。また、人との食事の場や買い物といった社会参加は生活の質の向上につながります。介護者は**摂食と嚥下のプロセス**を理解し、できるだけ口から食べられるように支援することが求められます。

　人が食べ物を食べるときは、まず「焼き魚があるのでお箸を使って食べよう」というように、食べ物を認識し、食べ方を決めて口に入れます（①先行期）。次に、口に入れた食べ物を噛んで、だ液と混ぜて飲み込みやすいように食塊という塊にします（②準備期）。そして、食塊を咽頭に送り込み（③口腔期）、咽頭から食道の入口まで送り込みます（④咽頭期）。最後に食道から胃に食塊が送られます（⑤食道期）。

　咽頭期では、咽頭が食べ物で刺激されることで気管の入口にふたをして、食べ物を飲み込む**嚥下反射**が起こります。これがうまく機能しないと**食塊やだ液が気管に入り（誤嚥）**、誤嚥性肺炎の原因になります。高齢者は噛む力やだ液分泌が低下し、摂食・嚥下障害を起こしやすくなります。

口腔ケア

　口から喉までの空間を口腔といいます。口腔はだ液による自浄作用で守られていますが、高齢になるとだ液の分泌量が減り、自浄作用が低下します。そのため、高齢者にとっては日々の口腔ケアが特に重要です。口腔ケアには、虫歯や口臭の予防、嚥下機能の維持・向上、味覚を正常に保つ、オーラルフレイル（口腔機能の低下や食のかたより）予防といった効果があります。

○✕ で試験問題にチャレンジ！

2 min

1　咀嚼能力や唾液分泌の低下などから、摂食・嚥下障害を起こしやすい。

第25回問題36

答え　1：○

2

保健・医療の知識

20 排泄の介護

絶対おさえるポイント

▶ 腹圧性尿失禁は、咳やくしゃみなどで腹圧がかかることで起こる。

▶ 切迫性尿失禁は、膀胱炎などにより我慢できずに起こる。

▶ 溢流性尿失禁は、前立腺肥大症などで尿道が狭くなり、少しずつ尿が出る。

パッと見でつかむ！

☆ 尿失禁の種類

腹圧性尿失禁

【特徴】
咳やくしゃみで腹圧がかかることにより尿が漏れる

【対策】
骨盤底筋訓練

切迫性尿失禁

【特徴】
膀胱炎や括約筋の筋力低下のため、排尿が我慢できなくなって漏れる

【対策】
薬による治療、膀胱訓練

溢流性尿失禁

【特徴】
前立腺肥大などが原因で、たまった尿が少しずつ出続ける

【対策】
尿道の閉塞を解消する

くわしく見てみよう！

5 min

排泄は体内の不要物を体外に排出することで、生命の維持や健康を保つために不可欠な活動です。一言で排泄といっても、尿意や便意を感じることから始まり、トイレに行く、ズボンを下ろす、便座に座って座位を保つ、排泄後の処理や清潔を保つなど一連のプロセスがあります。このプロセスに支障が出ることを排泄障害といい、排尿障害と排便障害があります。ここでは排尿障害を解説していきます。

尿失禁にはさまざまな原因があります。腹圧性尿失禁は、**お腹に力が入ったときに尿が漏れる**ことをいいます。咳やくしゃみ、運動や重いものを持ち上げるときなどに起こり、女性に多いとされています。尿道を締める筋肉や骨盤底筋の衰えが原因となるため、骨盤底筋群の筋力アップ（骨盤底筋訓練）が効果的です。

切迫性尿失禁は、膀胱炎や括約筋の筋力低下などの理由により、**トイレに行くまで我慢できずに起こる**失禁です。対策として、薬による治療やトイレに行く間隔を徐々に長くしていく膀胱訓練などがあります。

溢流性尿失禁は、前立腺肥大症などで**尿道が狭くなり、たまった尿が少しずつ出続けます**。自分の意識とは関係なく尿漏れが起こる、残尿感があるといった症状がみられます。対応としては、尿道を狭くしている原因を取り除くための手術などがあります。

ほかにも、排尿障害には機能性尿失禁、神経因性膀胱、頻尿があります。

○✕で試験問題にチャレンジ！

2 min

1　強い尿意とともに尿が漏れることを、腹圧性尿失禁という。

第24回問題29

答え　1：✕

絶対おさえるポイント

▶ 褥瘡(じょくそう)は、血流が途絶え、細胞や組織に障害を起こした状態である。

▶ 仙骨部(せんこつ)やかかと、肩甲骨部(けんこうこつ)などにできやすい。

▶ 栄養状態の悪化や皮膚の湿潤などが要因となる。

パッと見でつかむ！

褥瘡ができる要因

局所的要因
・加齢による皮膚の変化
・摩擦(まさつ)・ずれ
・失禁・湿潤など

褥瘡発生

全身的要因
・低栄養
・やせ
・加齢・基礎疾患など

社会的要因
・介護力
　（マンパワー）不足
・情報不足など

褥瘡ができやすいところ

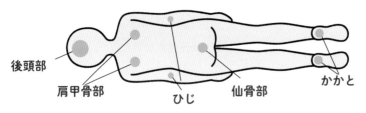

後頭部　肩甲骨部　ひじ　仙骨部　かかと

体の一部に圧力がかかったり摩擦やずれが生じたりして血液の流れが悪くなると、血液からの栄養が細胞に届かなくなりダメージを受けます。このダメージにより引き起こされる**皮膚の発赤やただれ、水疱、傷など**<ruby>発赤<rt>ほっせき</rt></ruby>**を褥瘡**といいます。症状が進行すると皮膚が黒ずんで壊死し、そこから<ruby>水疱<rt>すいほう</rt></ruby>細菌感染を起こして命にかかわることもあります。

　褥瘡ができやすい部位は、**仙骨部やかかと、肩甲骨部などの骨が突出している部分**です。

褥瘡の予防

　褥瘡を予防するには、褥瘡になりやすい状態を知っておくことが大切です。寝返りができない人は、特定の部位に体圧がかかり続けるため褥瘡ができやすくなります。定期的に**体位変換**をしたり、エアマットなどの用具を活用したりして体圧を分散させることが必要です。

　低栄養状態の人は皮膚が弱くなったり、筋肉や脂肪などの皮下組織が減って骨が突出しやすくなったりします。バランスのよい食事を心がけることが大切です。

　おむつを使用している人は、失禁により**皮膚が不潔になることやおむつ内がむれること**で皮膚が弱くなります。皮膚を清潔に保つことが予防に効果的です。また、入浴の際に全身の状態を観察することは褥瘡の早期発見につながります。

○✕ で試験問題にチャレンジ！ 2 min

1　寝返りができない人に、体位変換は不要である。　　　第26回問題29

2　排泄物による皮膚の湿潤が加わることで、褥瘡が生じやすくなる。

第24回問題34

答え　1：✕　2：○

※側注（縦書き）：
❷ 保健・医療の知識

22 睡眠の介護

絶対おさえるポイント

▶ 高齢になると睡眠が浅くなる傾向がある。

▶ 不眠症には、心身の健康状態や生活環境などさまざまな要因がある。

▶ 不眠症には入眠困難、中途覚醒、早朝覚醒、熟眠障害がある。

パッと見でつかむ！

不眠症の種類

入眠困難

眠ろうとしてもなかなか寝つけない

中途覚醒

夜中に目が覚めてしまい眠れない

早朝覚醒

朝早く目が覚めてしまう

熟眠障害

眠りが浅くスッキリ起きられない

くわしく見てみよう！

 5 min

　睡眠には心身の疲労を回復させ、生活リズムをつくる働きがあります。高齢になると睡眠が浅くなる傾向があり、睡眠障害を起こすことが多くなります。睡眠障害は睡眠に関連する病気の総称です。なかでも最も多いのが不眠症といわれています。

　眠れない要因には、痛みやかゆみなどの**身体的要因**や、ストレスや不安などによる**心理的要因**、音や光などの眠りづらい状況や生活環境の変化を理由とした**物理的要因**、薬の副作用で覚醒してしまう**薬理学的要因**があります。そのため、眠れない利用者に対しては、睡眠時の状況だけでなく、日中の活動量や食事・水分の摂取量、服薬状況などの生活全体をアセスメントし、対応方法を検討します。

不眠症の種類

　不眠症は症状によっていくつかの種類に分けられます。床についてもなかなか寝つけない状態を**入眠困難**といい、不安や緊張が強いときに起こりやすいといわれています。このほか、睡眠中に途中で目が覚めてしまい再び寝ようとしても眠れない**中途覚醒**、早朝に目が覚めてしまいまだ眠りたいと思っても眠れない**早朝覚醒**、眠りが浅くスッキリと目覚めることができない**熟眠障害**などがあります。これらの症状が重複して起こることも少なくありません。

❷ 保健・医療の知識

○✖ で試験問題にチャレンジ！

 2 min

1　予定より早く目覚め、その後眠れなくなってしまうことを熟眠障害という。

第24回問題30

2　かゆみによって睡眠障害が生じることがある。

第22回問題28

答え　1：✖　2：○

【保健・医療の知識】
出題されやすいポイント

　この分野では、介護保険の利用者である高齢者に関する医療知識を
ベースに出題されます。それは、ケアマネジャーとして仕事をするとき
に必要となるからです。高齢者に起こりやすい疾患や在宅医療管理、
認知症、介護技術については毎年のように試験に出されています。

■ 高齢者に起こりやすい疾患
　加齢に伴って心身の状態は変化していくので、高齢者の身体的特徴
を確認しましょう。高齢者に起こりやすい病気とその病気の特徴をお
さえておきましょう。

■ 在宅医療管理
　種類は多いですが、試験で問われるのは基本的な知識です。それぞ
れの処置の目的や方法、緊急時の対応を中心に学習しましょう。

■ 認知症の理解
　認知症にはさまざまな原因があるので、まずは認知症のタイプごと
の特徴を確認します。そのうえで、治療法や認知症の人へのかかわり
方について理解を深めましょう。

■ 介護技術
　食事や排泄、入浴などの介護技術についてもよく問われます。それ
ぞれの場面に応じた介護方法、嚥下障害や排泄障害が起こるしくみな
どを学習しておきましょう。

第 **3** 章

福祉の知識

1 ソーシャルワーク

パッと見でつかむ！

★ ソーシャルワークの方法論

ケースワーク（個別援助）

対象：個人や家族

相談面接を行い、生活課題を整理し、課題解決に向けて支援をする

グループワーク（集団援助）

対象：地域住民や小集団

人々や集団活動など身近な組織の力動を活用し、個人の成長やかかえている問題の解決を目指す

コミュニティワーク（地域援助）

対象：地域社会や組織、制度・政策

地域の代表者や組織に働きかけ、個人や集団のニーズを充足する社会資源の開発を目指す

くわしく見てみよう！ 5 min

　ソーシャルワークとは、困っている人や社会の問題に対して働きかけを行うことをいいます。ソーシャルワークの方法論として、ケースワーク、グループワーク、コミュニティワークなどがあります。

　ケースワークは、生活に課題をかかえる利用者や家族と面談し、解決に向けて個別に支援を行う方法です。具体的には、ケアマネジャーが行う利用者の訪問面接や病院の医療ソーシャルワーカーが行う入院中の患者への退院支援などがあります。

　グループワークは、生活に課題をかかえる人が集団活動に参加し、ほかの人からの影響を受けることで、個人の成長やかかえている問題の解決を目指す方法です。例をあげると、高齢者サロンで行われる運動教室や家族介護者が集まる交流活動などがあります。

　コミュニティワークは、地域の課題を解決することを目的として、地域社会や行政に働きかける方法です。たとえば、地域課題を把握するために地域の実態調査を行ったり、ボランティア団体の組織化に向けて支援したり、事業者に協力を求めて新たな社会資源を創出したりといったことです。さらに、行政に対する働きかけもコミュニティワークに含まれます。

❸ 福祉の知識

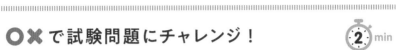

⭘❌ で試験問題にチャレンジ！ 2 min

1　集団援助では、グループで生じるメンバーの相互作用を意図的に活用する。
第26回問題49改変

2　震災被災者に対する支援のためのNPOの組織化は、地域援助に含まれる。
第24回問題49改変

答え 1：⭘ 2：⭘

2 相談面接技術

▶ 相談面接では利用者と援助者が双方向に話ができるようにする。

▶ 相手の立場に立って、考え方を理解しようとすることを共感という。

▶ 質問の仕方として閉じられた質問と開かれた質問がある。

パッと見でつかむ！   2 min

相談面接技術

傾 聴	共 感
相手の言葉と思いに 耳と心を傾ける	利用者の立場で理解する

質 問 法

閉じられた質問

「はい」「いいえ」や
限られた数語で答えられる質問

開かれた質問

自由に答えられる質問

相談面接におけるコミュニケーションは、利用者がかかえている課題を解決できるように、信頼関係を築くのが目的です。援助者が聞きたい話を一方的に聞いたり、援助者としての価値を押しつけたりせず、**利用者と援助者が双方向に話ができる**ことが重要です。そのための技術を確認していきましょう。

傾聴は、相手の言葉と思いに積極的に耳と心を傾ける姿勢や態度をいいます。利用者の話すことを否定せず、あるがままに受け止めます。共感は、**利用者の立場を利用者自身が感じているように理解する**ことです。

質問の仕方にも技術があり、閉じられた質問（クローズドクエスチョン）と開かれた質問（オープンクエスチョン）があります。**閉じられた質問**は、「はい」「いいえ」や限られた数語で答えられる質問です。相手が答えやすく、事実の確認をしたいときに適していますが、話を広げられず情報を引き出せない可能性があります。**開かれた質問**は、「なぜですか？」「どう思いますか？」など相手が自由に答えられる質問です。情報を具体的に引き出したいときに適していますが、多用すると相手が責められているように感じてしまうことがあります。

焦点化は、相手の話を自分のなかで理解して、その内容を要約し、相手に伝えることをいいます。利用者がかかえる課題を整理し、面接の焦点を定めることができます。

❸ 福祉の知識

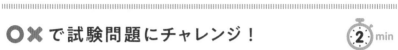

⭕❌ で試験問題にチャレンジ！ ⏱ 2 min

1　傾聴とは、クライエントの支援計画を立てることである。　第26回問題46

2　クローズドクエスチョンは、明確な回答を得たいときに用いる。

第25回問題46

答え　1：✕　2：⭕

3 成年後見制度

▶ 成年後見制度には法定後見制度と任意後見制度がある。

▶ 法定後見制度は判断能力に応じて成年後見人、保佐人、補助人が選任される。

▶ 任意後見制度は判断能力があるうちに後見人を決めておく。

パッと見でつかむ！

☆ 成年後見制度

法定後見制度

【サポートする人】

判断能力		
低	日常生活のほとんどにおいて判断能力を欠く人	成年後見人
	判断能力が著しく不十分な人	保佐人
高	判断能力が不十分な人	補助人

任意後見制度

判断能力があるうちに、将来に備えて後見人を決めておきたい人	任意後見人

くわしく見てみよう！ 5 min

　成年後見制度は、認知症や知的障害などにより、自分自身で判断して決めることが難しい人に対して、財産の管理や施設入所などの契約をサポートする人（成年後見人等）を選任する制度です。**法定後見制度と任意後見制度**の２つがあります。

　法定後見制度は、**すでに本人の判断能力が低下している状況**で家庭裁判所に申立を行う制度です。申立は、原則として本人や四親等内の親族などが行うこととされています。申立を受けた家庭裁判所は、本人の判断能力の程度に応じて、日常のほとんどにおいて判断能力を欠く状態の人には**成年後見人**を、判断能力が著しく不十分な人には**保佐人**を、判断能力が不十分な人には**補助人**を選任します。本人に代わって契約をする（代理権）、本人が行った契約を取り消す（取消権）などの権限は、成年後見人が最も有しています。

　任意後見制度は、十分な判断能力があるうちに、**あらかじめ後見人を決めておく**制度です。まず、本人と任意後見人になる人が公正証書で任意後見契約を結びます。この契約には、任意後見人となる人とサポートしてほしい内容（後見事務の内容）が盛り込まれます。法定後見制度のように、後見・保佐・補助といった類型はありません。そして、本人の判断能力が不十分になったときに、家庭裁判所へ申立を行います。任意後見人が適切に仕事をしているかを確認する**任意後見監督人を家庭裁判所が選任する**ことで、任意後見が開始されます。

❸ 福祉の知識

⭕❌ で試験問題にチャレンジ！ 2 min

1　法定後見制度は、本人の判断能力の程度に応じて、後見と補助の２類型に分かれている。

第26回問題58

答え　1：❌

143

4 生活保護制度

パッと見でつかむ！

生活保護の原理と原則

国家責任の原理 無差別平等の原理 最低生活保障の原理 補足性の原理	申請保護の原則 基準および程度の原則 必要即応の原則 世帯単位の原則

生活保護の8つの扶助

生活扶助	食費・被服費・光熱水費など日常生活に必要な費用、介護保険料
教育扶助	義務教育に必要な費用
住宅扶助	家賃、地代等の費用
医療扶助	医療サービスの給付
介護扶助	介護サービスの給付
出産扶助	出産に必要な費用
生業扶助	技術を身につけたり、仕事を始めるために必要な費用 高等学校などの就学に必要な費用
葬祭扶助	葬祭のために必要な費用

くわしく見てみよう！　⑤min

　生活保護制度は、**生活に困窮する国民に対して最低限度の生活を保障する**制度です。生活保護法の**基本原理**は、国が国民の最低生活保障をする国家責任の原理、要件を満たせば困窮に陥った原因にかかわらず保護を受けられる無差別平等の原理、健康で文化的な生活水準を維持できることを保障する最低生活保障の原理、資産やほかの制度などあらゆるものを活用することを要件とする補足性の原理の4つです。

　このほかに4つの**原則**もあります。申請に基づいて保護を行う申請保護の原則、国の定めた基準に基づいて保護を行う基準および程度の原則、要保護者の実情に即して保護を行う必要即応の原則、世帯を単位として保護の要否・程度を決める世帯単位の原則です。

　生活保護には、生活扶助、教育扶助、住宅扶助、医療扶助、介護扶助、出産扶助、生業扶助、葬祭扶助の8つの扶助があり、用途に応じて必要な費用を支給します。このうち介護保険制度と関係が深いものは、生活扶助と介護扶助です。

　介護保険料について、第1号被保険者は年金から特別徴収される場合以外は、**生活扶助**として金銭給付されます。第2号被保険者は医療保険料と一体的に徴収され、医療保険未加入者には介護保険料は生じません。

　介護保険サービスの利用料は、費用の9割が介護保険の保険給付として給付され、1割が生活保護の**介護扶助**として現物給付されます。

○✖で試験問題にチャレンジ！　②min

1　生活保護制度は、市町村の責任と裁量の下で行われる。　第24回問題58

2　65歳以上の被保険者の介護保険料は、介護扶助として給付される。

第22回問題59

答え　1：✖　2：✖

5 生活困窮者自立支援法

▶ 生活保護になるおそれがある人が対象となる。

▶ 都道府県、市、福祉事務所を設置する町村が実施機関となる。

▶ 自立のための相談支援と住居の確保が事業の柱となる。

パッと見でつかむ！ ②min

生活困窮者自立支援制度

生活保護にならないよう、生活困窮者の自立支援を行う制度

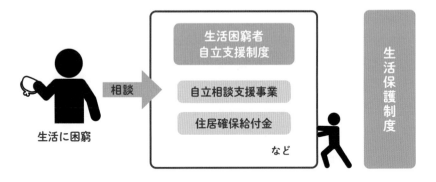

◆Check！

☐ 生活困窮者自立相談支援事業
生活困窮者からの相談に応じ、ニーズを把握したうえで、情報提供や助言を行う。

☐ 生活困窮者住居確保給付金
離職などの理由で住居に困っている人に家賃を支給する。

くわしく見てみよう！

 5 min

生活困窮者自立支援法は、就労や心身の状況、社会との関係性などが原因で生活が困窮し、**最低限度の生活を維持することができなくなるおそれがある人（生活困窮者）**を支援するための法律です。この法律は、生活保護に至る前の自立支援を強化するためにつくられました。生活困窮者の支援を行うのは、都道府県、市および福祉事務所がある町村です。この法律に基づく事業のうち、**生活困窮者自立相談支援事業と生活困窮者住居確保給付金の支給**の２つが必須事業とされています。

生活困窮者自立相談支援事業は、生活困窮者やその家族などからの相談を受ける事業です。生活困窮者がかかえている悩み（課題）を明らかにし、自立するために必要な情報の提供や助言を行います。支援にあたっては、自立支援計画を作成することとされています。

生活困窮者住居確保給付金は、離職などにより、住宅を失う、家賃の支払いが困難になるなどした人に住居にかかる費用を支給するものです。就職するために住居の確保が必要と認められる人に対して支給されます。支給期間は原則３か月で、世帯収入や資産などの一定の要件があります。

また、任意事業として、生活困窮者就労準備支援事業、生活困窮者家計改善支援事業、生活困窮者居住支援事業（2025年度（令和7年度）より生活困窮者一時生活支援事業から名称変更）、子どもの学習・生活支援事業などがあります。

❸ 福祉の知識

○✖ で試験問題にチャレンジ！

 2 min

1 都道府県、市及び福祉事務所を設置する町村は、生活困窮者自立相談支援事業を行うものとされている。　第24回問題59

---

2 生活困窮者住居確保給付金の支給は、任意事業である。　第22回問題58

答え　1：○　2：✖

6 障害者総合支援制度

絶対おさえるポイント

▶ 身体障害者、知的障害者、精神障害者、難病患者等が対象となる。

▶ 支援には自立支援給付と地域生活支援事業がある。

▶ 介護給付を利用する場合は障害支援区分が必要である。

パッと見でつかむ！

障害者総合支援法による支援

市町村

自立支援給付

介護給付
- 居宅介護　・重度訪問介護
- 同行援護　・行動援護
- 療養介護　・生活介護
- 短期入所
- 重度障害者等包括支援
- 施設入所支援

訓練等給付
- 自立訓練（機能訓練・生活訓練）
- 就労選択支援※
- 就労移行支援
- 就労継続支援（A型・B型）
- 就労定着支援　・自立生活援助
- 共同生活援助

相談支援
- 基本相談支援
- 地域相談支援（地域移行支援・地域定着支援）
- 計画相談支援

自立支援医療
- 更生医療
- 育成医療
- 精神通院医療

補装具

地域生活支援事業
- 相談支援　　　・意思疎通支援　　　・日常生活用具給付等
- 移動支援　　　・地域活動支援センター　　など

支援

広域支援、人材育成など

都道府県

※2025年（令和7年）10月より新設される

148

くわしく見てみよう！ 5 min

　障害者総合支援法は、障害者の生活を支援するための法律です。この法律でいう障害者とは、**身体障害者、知的障害者、精神障害者（発達障害者を含む）、難病患者等**を指します。障害者総合支援法による支援は、**自立支援給付と地域生活支援事業**の2つで構成されています。

　自立支援給付には、介護給付、訓練等給付、自立支援医療、補装具、地域相談支援、計画相談支援などがあります。介護サービスを行う介護給付と就労等の支援を行う訓練等給付のことを障害福祉サービスといいます。これらのサービスは、サービスの質にバラつきがないように国が一定の基準を定め、市町村が実施します。

　障害福祉サービスの利用にあたっては、介護保険と同じように市町村に申請しなければなりません。介護給付を利用する場合は**障害支援区分**の認定が必要です。区分は非該当と、区分1から区分6まであり、区分6が最重度となっています。介護給付以外の自立支援給付は、障害支援区分がなくても利用することができます。

　地域生活支援事業は、地域で生活する障害者のニーズをふまえ、地域の実情に応じたサービスの詳細を自治体が決定します。市町村が実施する市町村地域生活支援事業と、都道府県が実施する都道府県地域生活支援事業があります。

❸
福祉の知識

〇✖ で試験問題にチャレンジ！ 2 min

1　対象となる障害者の範囲には、難病の患者も含まれる。

第22回再試験問題58

2　サービスの利用を希望する者は、都道府県に対して支給申請を行う。

第25回問題60

答え　1：〇　2：✖

7 後期高齢者医療制度

絶対おさえるポイント

▶ 75歳以上の後期高齢者を主な対象とする医療保険制度である。

▶ 運営主体は都道府県ごとに設置される後期高齢者医療広域連合である。

▶ 保険料は、後期高齢者医療広域連合が条例で定める。

パッと見でつかむ！

☆ 後期高齢者医療制度

運営主体	被保険者	保険料
後期高齢者医療広域連合	① 75歳以上の人 ② 65歳以上75歳未満で広域連合の障害認定を受けた人	・広域連合が条例で定める ・特別徴収または普通徴収

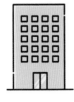 

☆ 保険給付の種類

1. 療養の給付
2. 入院時食事療養費
3. 入院時生活療養費
4. 保険外併用療養費
5. 療養費
6. 訪問看護療養費
7. 特別療養費
8. 移送費
9. 高額療養費
10. 高額介護合算療養費
11. 条例で定める給付

くわしく見てみよう！ ⏱ 5 min

　後期高齢者医療制度は、**75歳以上の人（後期高齢者）を被保険者とした公的な医療保険制度**です。被保険者が保険料を支払い、病気やけがで病院に行った場合には給付を受けます。

　運営主体は、都道府県ごとにすべての市町村が加入して設立された**後期高齢者医療広域連合**（以下、広域連合）です。保険料の徴収や被保険者資格の管理、医療給付に関する届出の受付などの業務は市町村が担います。

　被保険者は、広域連合の区域内に住所を有する75歳以上の人と、65歳以上75歳未満で一定の障害があると認められた人です。ただし、生活保護受給世帯に属する人は被保険者になりません。

　保険料は、**各広域連合**が条例で定めます。保険料の納め方は、介護保険の第1号被保険者の保険料と同様に、特別徴収と普通徴収（→54ページ）があります。

　保険給付の種類は、おおむねほかの医療保険と同様です。主な給付として、療養の給付、入院時食事療養費、高額介護合算療養費、移送費などがあります。被保険者は自身が受けた医療サービスにかかる費用のうち、原則1割を負担します。一定の所得がある人は2割または3割負担となります。

○✖ で試験問題にチャレンジ！ ⏱ 2 min

1　運営主体は、都道府県ごとにすべての市町村が加入する後期高齢者医療広域連合である。
第22回再試験問題60

2　75歳以上の者であって生活保護世帯に属する者も、被保険者となる。
第21回問題60

答え　1：○　2：✖

8 高齢者虐待防止法

絶対おさえるポイント

▶ 高齢者への虐待を防止するとともに、養護者を支援する側面をもつ。

▶ 身体的虐待、ネグレクト、心理的虐待、性的虐待、経済的虐待がある。

▶ 虐待を受けたと思われる高齢者を発見した場合は市町村に通報する。

パッと見でつかむ！

虐待の種類

身体的虐待
高齢者の身体に外傷が生じ、または生じるおそれのある暴行を加えること

ネグレクト
高齢者を衰弱させるような著しい減食や長時間の放置など、養護を著しく怠ること

心理的虐待
著しい暴言または著しく拒絶的な対応など、高齢者に著しい心理的外傷を与える言動を行うこと

性的虐待
高齢者にわいせつな行為をすることまたはさせること

経済的虐待
高齢者の財産を不当に処分すること、高齢者から不当に財産上の利益を得ること

📍**Check!**

☐ 通報義務
高齢者の生命や身体に重大な危険が生じている場合、発見者は速やかに市町村に通報しなければならない。

152

くわしく見てみよう！

 5 min

　高齢者虐待防止法は、**高齢者への虐待を防止し、養護者を支援する施策を促進する**ことで、高齢者の権利を守ることを目的としています。高齢者虐待には、養護者によるものと養介護施設従事者等によるものがあります。養護者は、家族など高齢者を現に養護している人を指し、養介護施設従事者等は、介護老人福祉施設や居宅サービス事業者など、介護保険法や老人福祉法に定められた施設や事業者の職員を指します。

　虐待の種類として、**身体的虐待、ネグレクト、心理的虐待、性的虐待、経済的虐待**の5つがあります。身体的虐待は、高齢者の身体に外傷が生じる、または生じるおそれがある暴行を加えることです。ネグレクトは、食事を与えなかったり、長時間放置したりして養護を著しく怠ることです。心理的虐待は、暴言や無視するなどの拒絶的な対応をすることにより高齢者に心理的外傷を与えることです。性的虐待は、高齢者にわいせつな行為をしたりさせたりすることです。経済的虐待は、許可なく高齢者の財産を処分したり、高齢者から不当に利益を得たり、あるいは生活に必要なお金を渡さなかったりすることです。

　虐待を受けたと思われる高齢者の生命または身体に重大な危険が生じている場合、発見者は**市町村**に通報しなければなりません。通報を受けた市町村は事実確認を行い、必要に応じて立入調査や施設への入所措置、養護者と高齢者の面会の制限などを行います。

❸ 福祉の知識

⭕❌ で試験問題にチャレンジ！

2 min

1　養護者による高齢者を衰弱させるような著しい減食は、高齢者虐待に当たる。
第23回問題60

2　養護者が高齢者本人の財産を不当に処分することは、経済的虐待に該当する。
第26回問題59

答え　1：⭕　2：⭕

153

【福祉の知識】
出題されやすいポイント

　この分野では、ソーシャルワークや成年後見制度、生活保護制度についての出題が多いです。次のポイントをおさえましょう。

■ ソーシャルワーク　　　　　→ 138ページ
○ ケースワーク
○ グループワーク
○ コミュニティワーク

■ 成年後見制度　　　　　→ 142ページ
○ 法定後見制度と任意後見制度の違い
○ 成年後見人、保佐人、補助人の役割

■ 生活保護制度　　　　　→ 144ページ
○ 4つの原理と4つの原則
○ 介護保険制度との関係

　制度については、知らない用語が出てくると難しく感じるかもしれません。最初から細かいところまで勉強するのではなく、まずは制度の概要を把握することが大切です。この本でざっくりと内容をつかんだら、過去問を解いて理解を深めていきましょう。「ケアマネジャー合格アプリ2025」（2025年2月リリース予定）なら気軽に問題を解くことができます。
　文章で読んでも頭に入りづらいときは、動画を活用して学習するのもオススメです！

YouTube
「メダカの学校 @miz」はこちらから

第 **4** 章

サービスの
知識

介護保険サービス一覧

居宅サービス

訪問系サービス

● **訪問介護** 介 → 158ページ
居宅を訪問し、日常生活上の世話を行う

● **訪問入浴介護**
介 予 → 160ページ
居宅に浴槽を運び入浴の介護を行う

● **居宅療養管理指導** 介 予 → 166ページ
医師、歯科医師、薬剤師、管理栄養士、歯科衛生士が居宅を訪問し、療養上の指導を行う

● **訪問看護** 介 予 → 162ページ
看護職員が居宅を訪問し、療養上の世話を行う

● **訪問リハビリテーション**
介 予 → 164ページ
リハビリ専門職が居宅を訪問し、リハビリテーションを行う

通所系サービス

● **通所介護** 介 → 168ページ
施設で日常生活上の世話や機能訓練を行う

● **通所リハビリテーション**
介 予 → 174ページ
施設でリハビリテーションを行う

短期入所系サービス

● **短期入所生活介護**
介 予 → 176ページ
短期間入所する利用者に日常生活上の世話と機能訓練を行う

● **短期入所療養介護**
介 予 → 178ページ
短期間入所する利用者に必要な医療と日常生活上の世話を行う

その他サービス

● **特定施設入居者生活介護**
介 予 → 188ページ
介護付き有料老人ホーム、養護老人ホーム、軽費老人ホームの入居者に日常生活上の世話を行う

● **福祉用具貸与** 介 予 → 192ページ
車いすや特殊寝台などの福祉用具をレンタルする

● **特定福祉用具販売**
介 予 → 192ページ
腰掛便座など特定の福祉用具を購入したときにお金を支給する

介 …要介護者が利用できる　　**予** …要支援者が利用できる

地域密着型サービス

● **地域密着型通所介護** 介 → 168ページ、170ページ
施設で日常生活上の世話や機能訓練を行う（利用定員19人未満）。その一類型である療養通所介護は、難病等や末期がんの人を対象とする

● **認知症対応型通所介護**
介 予 → 172ページ
認知症の人を対象に、施設で日常生活上の世話や機能訓練を行う

● **定期巡回・随時対応型訪問介護看護** 介 → 180ページ
24時間体制で訪問介護と訪問看護が連携しながらサービスを提供する

● **小規模多機能型居宅介護**
介 予 → 184ページ
通い・訪問・泊まりを一体的に提供する

● **地域密着型特定施設入居者生活介護** 介 → 188ページ
入居定員29人以下の小規模な介護専用型特定施設で、入居者に日常生活上の世話を行う

● **認知症対応型共同生活介護**
介 要支援2 → 190ページ
認知症の人を対象に、共同生活を営む住居で日常生活上の世話や機能訓練を行う

● **夜間対応型訪問介護**
介 → 182ページ
夜間に特化した訪問介護を行う

● **看護小規模多機能型居宅介護**
介 → 186ページ
通い・訪問・泊まりで介護・看護を一体的に提供する

● **地域密着型介護老人福祉施設入所者生活介護**
要介護3以上 → 196ページ
入所定員29人以下の小規模な介護老人福祉施設で、入所者に日常生活上の世話を行う

住宅改修
介 予
→ 194ページ
住宅改修を行ったときにお金を支給する

施設サービス

● **介護老人福祉施設** 要介護3以上 → 196ページ
病状が安定している要介護者に日常生活上のケアを行う施設

● **介護老人保健施設** 介 → 198ページ
在宅復帰に向けて、リハビリテーションなどを行う施設

● **介護医療院** 介 → 200ページ
医療ケアが必要な要介護者が長期療養を行う施設

❹ サービスの知識

1 訪問介護

パッと見でつかむ！

サービス内容

❶ 生活援助：調理や買い物、利用者が使用する居室の掃除など

❷ 身体介護：入浴や排泄などの介助、見守り的援助など

❸ 通院等のための乗車または降車の介助

生活援助に含まれない行為

直接本人の援助に該当しないもの	利用者以外への調理、買い物、利用者が使わない部屋の掃除など
日常生活援助に該当しない行為	ペットの散歩、草むしり、水やり、ワックスがけなど

📍Check!

☐ 訪問介護計画
ケアマネジャーが作成した居宅サービス計画に沿って、サービス提供責任者が訪問介護計画を作成する。

訪問介護は、要介護者の居宅を訪問し、入浴や排泄、食事等の介護、家事の援助などを提供するサービスで、一般的にホームヘルプと呼ばれています。サービス内容は、調理や洗濯、掃除といった家事を行う**生活援助**と、入浴や排泄などの介助を行う**身体介護**があります。どちらか片方しか利用できないということではなく、排泄介助の後に居室の掃除をするというように組み合わせて利用することができます。

訪問介護は利用者の自立を促しながらサービスを提供します。たとえば、食材を切ることができない状態の利用者であっても食材を洗う、味付けをするなど、できることを見つけて一緒に調理を行います。このように手助けや見守りをしながら行う調理は身体介護に含まれます。

訪問介護では、**利用者以外の人へのサービス提供**、たとえば同居家族の食事をつくったり、同居家族の部屋を掃除したりすることは生活援助に含まれません。また、**日常生活の援助とならない行為**（ペットの散歩や草むしり、花木の水やり、ワックスがけなど）も対象外となります。

サービスの提供にあたっては、**サービス提供責任者**が訪問介護の目標や具体的なサービスの内容等を記載した訪問介護計画を作成します。すでにケアマネジャーが作成した居宅サービス計画がある場合はその内容に沿って作成します。その内容を利用者または家族に説明し、利用者の同意を得なければなりません。

○✕ で試験問題にチャレンジ！ 2 min

1 掃除の際に特別な手間をかけて行う床のワックスがけは、生活援助として算定できる。

第26回問題50

2 訪問介護計画の作成は、管理者の業務として位置付けられている。

第25回問題50

答え 1：✕ 2：✕

④ サービスの知識

2 訪問入浴介護

パッと見でつかむ！

サービス内容

利用者の居宅に浴槽を運び入浴の介護を行う

```
看護職員　1人
介護職員　2人
```

自宅に浴槽があって
も、サービスを提供
するときは使わない

📍Check！

☐ 利用者の特徴
　要介護4・5の人や終末期の人が多い。医療処置を受けている人もいる。

☐ 入浴の変更
　当日、利用者の体調がすぐれない場合は、清拭または部分浴に変更することができる。

訪問入浴介護は、車に浴槽を積んで利用者宅を訪問し、居宅で入浴を行うサービスです。自宅の浴槽は使わず、**浴槽を提供して入浴の介護**を行います。

対象となるのは、自宅の浴槽での入浴が難しい人や通所サービスの入浴介助では入浴が困難な人です。具体的には、**要介護4・5で寝たきりの状態にある人や終末期の人**などが多くなっています。膀胱留置カテーテルや気管切開、胃ろうによる経管栄養などの**医療処置を受けている場合、病態が安定していれば入浴は可能**です。入浴後の医療処置や急変時の対応などを考慮し、サービスの提供は、原則として看護職員1人、介護職員2人（要支援者の場合は看護職員1人、介護職員1人）で実施することとしています。

サービス提供の流れ

訪問入浴介護事業者は、あらかじめ利用者宅を訪問して、車両の駐車位置や浴槽を搬入する経路、給排水の方法などの確認を行います。必要に応じて主治医等に連絡をとり、サービスを提供するにあたっての注意事項などを確認します。

当日は、入浴前に利用者の健康状態を確認し、体調がすぐれない場合は、清拭や部分浴に変更することも可能です。サービス提供後は、浴槽を洗浄、消毒します。

○✕ で試験問題にチャレンジ！ 2 min

1 サービス提供時に使用する浴槽は、事業者が備えなければならない。

第25回問題52

2 終末期にある者も、訪問入浴介護を利用できる。 第22回問題52

答え 1：○ 2：○

3 訪問看護

絶対おさえるポイント ①min

▶ 居宅の要介護者に対し、療養上の世話や診療の補助を行う。

▶ 病院・診療所が行うものと訪問看護ステーションが行うものがある。

▶ 利用者の年齢や状態により、保険区分が介護保険と医療保険に分かれる。

パッと見でつかむ！ ②min

★ サービス内容

❶ 病状の観察と情報収集	❺ リハビリテーション
❷ 療養上の世話（清潔、排泄援助など）	❻ 家族支援
❸ 診療の補助（服薬管理など）	❼ 療養指導
❹ 精神的支援	❽ 在宅での看取りの支援

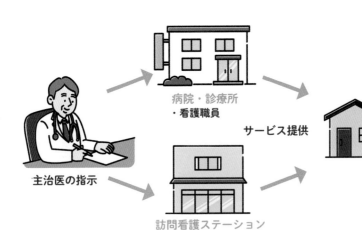

病院・診療所
・看護職員

サービス提供

主治医の指示

訪問看護ステーション
・看護職員
・リハビリテーション専門職

5 min

訪問看護は、医師が必要性を認めた要介護者に対して、看護師、保健師、准看護師、理学療法士などの専門職が居宅を訪問し、**病状の観察、療養上の世話、診療の補助、リハビリテーション、家族支援**などを行うサービスです。訪問看護の提供にあたっては、主治医が訪問看護指示書を訪問看護事業所に交付します。指示を受けた事業所の看護師等（准看護師を除く）は訪問看護計画書を作成します。

訪問看護には、**病院や診療所**が提供するものと**訪問看護ステーション**が提供するものがあります。訪問看護ステーションには、理学療法士、作業療法士、言語聴覚士のリハビリテーション専門職を配置することもできます。これらの職員が居宅を訪問してリハビリテーションを行った場合は訪問看護の一環とされます。

医療保険と介護保険

訪問看護は、医療保険で提供する場合と介護保険で提供する場合があります。利用者の年齢や状態によって、保険区分は変わってきます。病状が安定していて、かつ要介護認定を受けている人は介護保険の給付が優先されます。難病や末期がんなどで病状が不安定な人は、医療保険からの給付となります。利用者の病状が悪化し、頻繁に訪問する必要がある場合などは、主治医から**特別訪問看護指示書**が交付され、医療保険により訪問看護が提供されます。

⭕❌ で試験問題にチャレンジ！ **2** min

1 訪問看護の提供に当たっては、家族に対しても適切な指導を行う。

第24回問題41

2 急性増悪時に主治医から特別指示書が交付された場合、介護保険から給付が行われる。

第25回問題41

答え 1：⭕ 2：❌

4 訪問リハビリテーション

▶ 理学療法士等が利用者の居宅を訪問し、リハビリテーションを行う。

▶ 病院・診療所、介護老人保健施設、介護医療院が事業者の指定を受ける。

▶ 利用者の心身の状態によってリハビリテーションの目的が異なる。

パッと見でつかむ！

☆ 主なサービス内容

- ● 廃用症候群の予防と改善
- ● 基本的動作能力の維持・回復
- ● ADLやIADLの維持・回復
- ● 対人交流・社会参加の維持・拡大
- ● 介護負担の軽減

☆ 訪問リハビリテーションのプロセス

障害の評価
↓
訪問リハビリテーション計画の作成
↓
サービスの実施と記録
↓
再評価と計画の見直し

くわしく見てみよう！ 5 min

　訪問リハビリテーションは、医師が必要性を認めた要介護者に対し、**理学療法士、作業療法士、言語聴覚士**が居宅を訪問し、生活機能の維持・向上を目的としてリハビリテーションを行うサービスです。都道府県知事の指定を受けた**病院・診療所、介護老人保健施設**（→198ページ）、**介護医療院**（→200ページ）が事業者となります。訪問リハビリテーションは医療保険によるものと介護保険によるものがあります。要介護認定を受けている人は原則として介護保険が優先です。

　訪問リハビリテーションは、利用者の心身の状態により目的が異なります。要支援1・2の人は介護予防、要介護1・2の人はADL・IADLの自立、要介護3〜5の人は生活機能の維持と介護者の負担軽減が主な目的となります。

　サービス提供にあたっては、医師および理学療法士等のリハビリテーション専門職が**訪問リハビリテーション計画**を作成し、その内容を利用者またはその家族に説明し、同意を得たうえで交付します。ケアマネジャーが作成した居宅サービス計画がある場合は、その内容に沿ったものでなくてはなりません。

　理学療法士等は、計画に沿ってサービスを提供し、その実施状況と評価を記録した診療記録を作成し、医師に報告を行います。

○✕ で試験問題にチャレンジ！ 2 min

1　指定訪問リハビリテーションとは、病院、診療所、介護老人保健施設又は介護医療院から理学療法士、作業療法士又は言語聴覚士が居宅を訪問して行うリハビリテーションをいう。
第22回再試験問題37

2　訪問リハビリテーションは、訪問リハビリテーション計画を作成して実施されるため、必ずしも医師の指示は必要ない。
第14回問題29

答え　1：○　2：✕

 ❹ サービスの知識

5 居宅療養管理指導

パッと見でつかむ！

★ サービス内容

医師・歯科医師		・利用者と家族に対する指導・助言 ・ケアマネジャーや事業者に対する情報提供	月2回が限度
薬剤師	病院・診療所	・医師または歯科医師の指示による薬学的管理・指導	月2回が限度
	薬局	・医師または歯科医師の指示に基づき策定される薬学的管理指導計画による薬学的管理・指導	月4回が限度 （末期がん、中心静脈栄養を受けている者等は月8回が限度）
歯科衛生士		・歯科医師の指示による口腔内の清掃、有床義歯の清掃に関する指導	月4回が限度 （がん末期の利用者は月6回が限度）
管理栄養士		・医師の指示による栄養指導	月2回が限度

Check!

☐ 交通費
通常の事業実施地域内であっても交通費の支払いを受けることができる。

くわしく見てみよう！ 5 min

居宅療養管理指導は、医師・歯科医師・薬剤師・管理栄養士・歯科衛生士のいずれかが**通院困難な要介護者**の居宅を訪問して、**療養上の管理や指導**を行うサービスです。医師・歯科医師の指示で行われ、ケアマネジャーが作成する居宅サービス計画がなくても利用できます。保険医療機関または保険薬局であれば、介護保険の指定事業者とみなされます。

居宅療養管理指導は、サービスを提供する職種によってサービスの内容が異なります。

医師・歯科医師は、**利用者または家族への指導**のほか、利用者が介護保険サービスを利用している場合は、居宅介護支援事業者等に情報提供や助言を行います。月2回が限度となります。

薬剤師は、医師または歯科医師の指示（薬局の薬剤師の場合は薬学的管理指導計画）に基づいて**薬に関する管理・指導**を行います。病院・診療所の薬剤師が行う場合は月2回、薬局の薬剤師が行う場合は月4回が限度となっています。

歯科衛生士は、歯科医師の指示に基づいて**口腔内の清掃・有床義歯の清掃に関する指導**を行います。こちらは月4回が限度となります。

管理栄養士は、医師の指示に基づいて**栄養指導**を行います。月2回が限度です。

居宅療養管理指導は、通常の事業実施地域であっても利用者から**交通費の支払いを受ける**ことができます。

◯✖ で試験問題にチャレンジ！ 2 min

1 管理栄養士や歯科衛生士は、居宅療養管理指導を行うことができない。

第22回再試験問題43改変

2 交通費を受け取ることはできない。

第22回問題44

答え 1：✖ 2：✖

4 サービスの知識

6 通所介護

パッと見でつかむ！

⭐ サービスの目的

> ❶ 生活機能の維持・向上
> ❷ 社会的孤立感の解消
> ❸ 心身機能の維持・向上
> ❹ 家族の身体的・精神的負担の軽減（レスパイトケア）

自宅　　送迎　　事業所

📍Check！

☐ 地域密着型通所介護
　利用定員が 19 人未満の場合は、地域密着型通所介護となる。

☐ 運営推進会議
　地域密着型サービスの指定を受けた事業者が開催する会議。

くわしく見てみよう！

 5 min

　通所介護はデイサービスとも呼ばれ、入浴や排泄、食事等の介護といった**日常生活上の世話や機能訓練**を行うサービスです。生活機能や心身機能の維持・向上、社会的孤立感の解消、家族の身体的・精神的な負担の軽減（レスパイトケア）を目的としています。利用定員は19人以上とされています。

　事業所には、管理者、生活相談員、介護職員、看護職員、機能訓練指導員を配置します。管理者は、サービスの提供にあたって生活目標や具体的なサービス内容を記載した**通所介護計画**を作成しなければなりません。ケアマネジャーが作成する居宅サービス計画に沿って作成します。通所介護計画の内容は、利用者または家族に説明し、利用者の同意を得る必要があります。

地域密着型通所介護

　利用定員が19人未満の小規模なデイサービスを地域密着型通所介護といいます。サービス内容は通所介護と大きな差がありません。

　異なる点として、通所介護の指定は都道府県知事、地域密着型通所介護の指定は市町村長が行います。また、地域密着型通所介護は**運営推進会議**をおおむね６か月に１回以上開催しなければなりません。運営推進会議では、利用者やその家族、市町村職員や地域住民の代表に集まってもらい、デイサービスでの活動内容などを伝え、意見交換を行います。

○✕ で試験問題にチャレンジ！

 2 min

1　利用者の社会的孤立感の解消を図ることは、指定通所介護の事業の基本方針に含まれている。
第25回問題51

2　通所介護計画は、利用者が作成を希望しない場合には、作成しなくてもよい。
第24回問題51

答え　1：○　2：✕

④ サービスの知識

7 療養通所介護

絶対おさえるポイント 1 min

▶ 難病等やがん末期の人が対象となる。

▶ 管理者は、訪問看護師としての経験がある看護師でなければならない。

▶ 管理者は、療養通所介護計画を作成しなければならない。

パッと見でつかむ！ 2 min

★ 対象

難病等

または

がん末期

常に看護師の観察が必要な人

★ 管理者

要件
・看護師（訪問看護に従事した経験がある）
・常勤専従

療養通所介護計画
・管理者が作成する
・訪問看護計画書が作成されている場合は、その内容との整合性を図りつつ作成する

◉ Check !

☐ 定員は 18 人以下
療養通所介護は、地域密着型通所介護の 1 つで、小規模なサービスである。

くわしく見てみよう！

 5 min

　療養通所介護は、地域密着型サービスの1つです。**難病等のある重度要介護者、がん末期の要介護者**で、常に看護師による観察が必要な人を対象としています。対象者は「難病」ではなく「難病等」となっており、難病の診断がなくても利用することができます。利用者の疾患が「難病等」の状態に該当するかどうかは、主治医を含めたサービス担当者会議で判断します。サービスは、入浴や排泄、食事の介護といった日常生活上の世話と機能訓練を行います。療養通所介護事業所の利用定員は18人以下です。

　療養通所介護は一般的なデイサービスに比べると、重度の人や病状が不安定な人が利用することが想定されるため、常勤の看護師を1人以上配置し、急変時に対応ができるよう配慮されています。

　療養通所介護事業者は、主治医や訪問看護事業者等との密接な連携が求められます。これは療養通所介護を利用する要介護者は、訪問看護を利用していることが多いためです。療養通所介護の管理者は、**訪問看護に従事した経験のある看護師**であることが必要となっています。

　療養通所介護では管理者が**療養通所介護計画**を作成し、この計画に基づいてサービスが提供されます。利用者が訪問看護を利用していて訪問看護計画書がある場合は、その内容と整合性をもたせながら療養通所介護計画を作成しなければならないとされています。

○✕ で試験問題にチャレンジ！

 2 min

1　指定療養通所介護は、難病等を有する重度要介護者又はがん末期の者のうち、常時看護師による観察が必要なものを対象者とする。

第23回問題10

2　指定療養通所介護事業所の利用定員は、18人以下である。　第21回問題8

答え　1：○　2：○

4
サービスの知識

8 認知症対応型通所介護

絶対おさえるポイント

▶ 認知症の人を対象としている。

▶ 併設型、単独型、共用型の3つの類型がある。

▶ 管理者は認知症対応型通所介護計画を作成しなければならない。

パッと見でつかむ！

★ サービス内容

● 認知症のある人に対して、日常生活上の世話と機能訓練を行う

● 社会的孤立感の解消、心身機能の維持

● 家族の身体的・精神的負担の軽減を図る

📍 Check!

☐ 対象
認知症の原因となる疾患が急性の状態にある場合には、対象とならない。

★ 3つのパターン

併設型	特別養護老人ホームなどの施設に併設されている 利用定員：12人以下
単独型	施設に併設されていない 利用定員：12人以下
共用型	グループホームや施設の一部で行う 利用定員：1日あたり3人以下

認知症対応型通所介護は、**認知症の人**を対象としています。ただし、認知症の原因となる疾患が急性の状態にある場合は対象になりません。通所介護（→168ページ）のサービス内容と大きな違いはありませんが、認知症対応型通所介護は利用定員が少なく、認知症の特性に配慮して手厚くサービスを提供できるのが特徴です。

　認知症対応型通所介護には、**併設型、単独型、共用型**の３つの類型があります。併設型は、特別養護老人ホームや病院・診療所、介護老人保健施設などの施設に併設されているタイプです。単独型は、施設に併設されていない認知症対応型通所介護を行う事業所です。併設型と単独型の利用定員は12人以下となっています。そして、共用型は、認知症対応型共同生活介護事業所（→190ページ）や地域密着型介護老人福祉施設（→196ページ）等の居間や食堂などを利用してサービスを提供します。

　認知症対応型通所介護事業者の**管理者**は、サービスを提供するにあたって認知症対応型通所介護計画を作成しなければなりません。この計画には、利用者の心身の状況をふまえて、サービスの目標や具体的なサービス内容を記載します。計画作成後は、利用者または家族に説明し、利用者の同意を得なければなりません。

　認知症対応型通所介護は市町村長が指定する地域密着型サービスです。おおむね６か月に１回以上運営推進会議を開催しなければなりません。

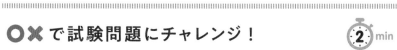

○✖ で試験問題にチャレンジ！ 2 min

1　生活相談員が認知症対応型通所介護計画を作成する。 　第24回問題56

2　認知症の原因となる疾患が急性の状態にある者は、対象とはならない。
　第26回問題56

答え　1：✖　2：○

❹ サービスの知識

9 通所リハビリテーション

絶対おさえるポイント ①min

▶ 通所リハビリテーションでは、維持期リハビリテーションが行われる。

▶ 主治医が必要と認める場合にサービスを利用することができる。

▶ 通所リハビリテーション計画は多職種で共同して作成する。

パッと見でつかむ！ ②min

☆ 利用者

● 脳血管障害やパーキンソン病などにより身体機能に障害がある人

● BPSD があったり、理解力・判断力が低下している認知症の人

● ADL、IADL が低下している人

など

☆ サービスの目的

❶ 心身機能の維持・回復

❷ 認知症の症状の軽減

❸ ADL、IADL の維持・回復

❹ コミュニケーション能力、社会関係能力の維持・回復

❺ 社会交流の機会の増加

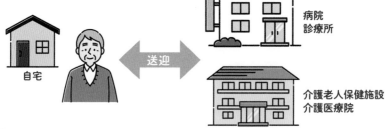

自宅　　送迎　　病院診療所／介護老人保健施設 介護医療院

♥Check !

☐ 通所リハビリテーション計画
　医師と理学療法士等、サービスの提供にあたる専門職が共同して作成する。

5 min

　通所リハビリテーションはデイケアとも呼ばれ、要介護者が**介護老人保健施設**（→198ページ）、**介護医療院**（→200ページ）、**病院・診療所**に通い、リハビリテーションを受けるサービスです。

　事業所には、医師を配置しなければなりません。そして、理学療法士・作業療法士・言語聴覚士といったリハビリテーション専門職や看護職員・介護職員を配置します。

　リハビリテーション専門職が中心となり、心身機能の維持・回復、認知症の症状の軽減、社会交流の機会の増加などを目的として**維持期リハビリテーション**（→120ページ）を行います。

　通所リハビリテーションを利用するには、**主治医が必要と認める**こと（指示）が条件になります。そのため、ケアマネジャーはサービスを検討するときに主治医等に意見を求め、居宅サービス計画を作成した場合は主治医に交付します。サービスの提供にあたっては、利用者の状態にあわせてリハビリテーションの目標や具体的なサービス内容が記載された通所リハビリテーション計画を作成しなければなりません。この計画は、事業者の**医師と理学療法士等の従業者が共同して**作成します。そして、利用者またはその家族に内容を説明し、利用者の同意を得なければなりません。

◯✕ で試験問題にチャレンジ！ 2 min

1　通所リハビリテーション計画は、介護支援専門員が作成しなければならない。
　　　　　　　　　　　　　　　　　　　　　　　第26回問題41

2　利用者が通所リハビリテーションの利用を希望しているときは、利用者の同意を得て主治の医師等の意見を求めなければならない。

　　　　　　　　　　　　　　　　　　　　　　　第23回問題20

答え 1：✕　2：◯

❹ サービスの知識

10 短期入所生活介護

絶対おさえるポイント

▶ 短期間入所して、日常生活上の世話や機能訓練を行う。

▶ 単独型、併設型、空床利用型の3つの類型がある。

▶ 連続して30日まで利用できる。

パッと見でつかむ！

☆ サービスの目的

● 社会的孤立感を解消する
● 心身機能を維持する
● 家族の身体的・精神的な負担を軽減する

☆ 3つのパターン

単独型		施設に併設されておらず短期入所生活介護だけを提供する 利用定員：20人以上
併設型		特別養護老人ホームなどに併設されている 利用定員：実質、定員の定めなし
空床利用型		特別養護老人ホームの空いているベッドを利用する 利用定員：実質、定員の定めなし

📍 Check！

☐ 短期入所生活介護計画
おおむね4日以上連続して入所することが予定されている利用者には短期入所生活介護計画を作成する。

くわしく見てみよう！

5 min

　短期入所生活介護は、ショートステイと呼ばれるサービスです。具体的には、要介護者を施設で**短期間**受け入れ、入浴や排泄、食事の介護など日常生活上の世話や機能訓練を行います。介護者の**身体的・精神的な負担を軽減する**目的もあり、家族の結婚式や旅行などの理由で利用することができます。

　短期入所生活介護には、**単独型、併設型、空床利用型**の３つの類型があります。単独型は、ショートステイのみを提供する施設で、利用定員は20人以上と定められています。併設型は、特別養護老人ホームなどに併設されたタイプです。ショートステイ専用の居室が用意されており、実質利用定員の定めはありません。空床利用型は、特別養護老人ホームのベッドに空きが出たときに、そのベッドをショートステイに利用します。

　短期入所生活介護を利用するにあたり、保険給付の対象となるのは**連続30日**までです。原則、長期間の利用はできないようになっています。

　利用者がおおむね４日以上連続して入所することが予定される場合、管理者は**短期入所生活介護計画**を作成しなければなりません。この計画はケアマネジャーが作成する居宅サービス計画に沿って作成し、利用者または家族に説明し、利用者の同意を得ます。

○✖ で試験問題にチャレンジ！

2 min

❹ サービスの知識

1　指定短期入所生活介護は、利用者の家族の身体的及び精神的負担の軽減を図るものでなければならない。
第26回問題53

2　短期入所生活介護計画は、利用期間にかかわらず作成しなければならない。
第24回問題53

答え　1：○　2：✖

11 短期入所療養介護

絶対おさえるポイント

▶ 医療ニーズがある要介護者が利用できる。

▶ 介護老人保健施設、介護医療院、病院・診療所で提供される。

▶ おおむね4日以上連続して入所する場合、短期入所療養介護計画を作成する。

パッと見でつかむ！

★ サービス内容

① 疾病に対する医学的管理　　　　⑤ 緊急時の受け入れ
② 装着された医療機器の調整・交換　⑥ 急変時の対応
③ リハビリテーション　　　　　　⑦ ターミナルケア
④ 認知症患者への対応

★ 事業者

介護老人保健施設
介護医療院
療養病床のある病院・診療所

｝みなし指定

くわしく見てみよう！

　短期入所療養介護もショートステイと呼ばれます。短期入所生活介護（→176ページ）との違いは、**医療ニーズがある人**も対象となることです。具体的には、病気に対する医学的管理や医療機器の調整・交換が必要な人、リハビリテーションを受けたい人、家族の介護負担を軽減することが必要な人などが利用します。看護、医学的管理のもとで介護、機能訓練、日常生活上の世話等を提供するサービスです。認知症の利用者への対応や終末期の利用者に対するターミナルケアも行います。

　短期入所療養介護を提供できるのは**介護老人保健施設**（→198ページ）、**介護医療院**（→200ページ）、**療養病床のある病院・診療所**等です。これらの施設等の空床を利用してサービスを提供します。いずれの施設も医師や看護師、リハビリテーション専門職などが配置され、幅広いニーズに応えることができます。

　おおむね4日以上連続して短期入所療養介護を利用する予定がある利用者には、管理者は**短期入所療養介護計画**を作成しなければなりません。作成にあたっては、医師の診療の方針に基づいてサービスの目標や具体的な内容を定めます。ケアマネジャーが作成した居宅サービス計画に沿って短期入所療養介護計画を作成します。なお、居宅サービス計画にない場合でも、緊急時に短期入所療養介護を利用することができます。

⭕❌ で試験問題にチャレンジ！

1　看護、医学的管理の下における介護及び機能訓練その他必要な医療並びに日常生活上の世話を行う。　　　　　　　　　　　第25回問題43

2　短期入所療養介護計画は、既に居宅サービス計画が作成されている場合は、当該計画の内容に沿って作成しなければならない。　第26回問題42

答え　1:⭕　2:⭕

12 定期巡回・随時対応型訪問介護看護

絶対おさえるポイント

▶ 在宅で生活する要介護者を24時間体制でサポートする。

▶ 訪問看護を利用する際は、医師の指示が必要となる。

▶ 事業所の形態には一体型、連携型、夜間対応型がある。

パッと見でつかむ！

★ サービス内容

① **定期巡回**：訪問介護員等が定期的に利用者の居宅を訪問し、サービスを提供する

② **随時対応**：専門職によるオペレーターが配置され、利用者やその家族からの通報に対応する

③ **随時訪問**：②で訪問が必要と判断された場合、訪問介護員等が利用者の居宅を訪問する

④ **訪問看護**：医療ニーズがあると医師が判断した場合、療養上の世話や診療の補助を提供する

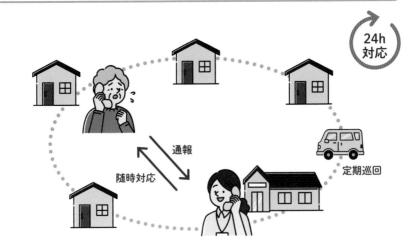

定期巡回・随時対応型訪問介護看護は、在宅で生活する利用者の自宅を訪問し、24時間体制でサポートします。対象となるのは要介護者です。サービスの内容には、**①定期巡回サービス、②随時対応サービス、③随時訪問サービス、④訪問看護サービス**があります。

①定期巡回サービスは、利用者の居宅を訪問介護員などが巡回訪問し、安否確認やゴミ出しなどの支援を行います。滞在時間にルールがなく、短時間の訪問や1日複数回の訪問など柔軟に対応できるのが特徴です。

②随時対応サービスは、利用者やその家族からの通報に対応するサービスです。通報があった際に適切に対応ができるよう、看護師や介護福祉士、医師などの専門職がオペレーターとなります。

③随時訪問サービスは、利用者や家族からの通報を受け、訪問が必要と判断されたときに、居宅に駆けつけて支援を行います。

④訪問看護サービスは、医療ニーズがあり医師が必要と認める利用者に対して看護師等が訪問し、療養上の世話や必要な診療の補助を行います。提供する場合は、訪問看護と同じように**医師の指示**が必要となります。医療ニーズがない場合は、①〜③だけで利用することができます。

事業所の形態には**一体型、連携型、夜間対応型**があります。一体型は、1つの事業所で訪問介護と訪問看護を提供します。連携型は、訪問介護のみを提供し、訪問看護は地域にある訪問看護事業所と連携し、提供します。夜間対応型は、夜間にのみサービスを必要とする利用者へサービスを提供します。

○✕ で試験問題にチャレンジ！ 2 min

1 要支援者も利用できる。 第25回問題44

答え 1：✕

13 夜間対応型訪問介護

絶対おさえるポイント

▶ 夜間に定期的な巡回と随時の訪問を行うサービスである。

▶ オペレーターは、看護師や介護福祉士などの専門職が担う。

▶ 夜間対応型訪問介護計画を作成しなければならない。

パッと見でつかむ！

☆ サービス内容

夜間にサービスを提供する

❶ 定期巡回サービス

❷ オペレーション
センターサービス

訪問の必要が
あると判断

❸ 随時訪問サービス

♥Check！

☐ サービス提供時間
午後 10 時から午前 6 時まではサービスを提供しなければならない。

☐ 夜間対応型訪問介護計画
オペレーションセンター従業者（オペレーター）が夜間対応型訪問介護計画を作成
する。

くわしく見てみよう！ 5 min

　夜間対応型訪問介護は、**夜間**に居宅を定期的に巡回したり、通報を受けて訪問したりして要介護者の介護を行うサービスです。サービスを提供する時間帯には、**午後10時から翌朝6時まで**を含むこととされています。提供するサービスは、**定期巡回サービス、オペレーションセンターサービス、随時訪問サービス**の3つです。

　定期巡回サービスは、訪問介護員等が定期的にいくつかの利用者の居宅を巡回し、排泄の介助などを行うサービスです。

　オペレーションセンターサービスは、利用者やその家族から通報があったときにオペレーターが対応するサービスです。オペレーターは緊急性などの判断をするため、**看護師や介護福祉士**などの資格要件があります。また、夜間対応型訪問介護事業者は、通報するための道具としてケアコール端末（ボタンを押すとオペレーターにつながるものなど）を利用者に配布します。

　利用者や家族からの通報があり、オペレーターが訪問の必要性があると判断した場合は、随時訪問サービスとして訪問介護員等が居宅を訪問し必要なケアや対応を行います。

　夜間対応型訪問介護事業者がサービス提供を行う際は、**夜間対応型訪問介護計画**を作成しなければなりません。計画の作成はオペレーターが行います。

○✕ で試験問題にチャレンジ！ 2 min

4 サービスの知識

1　既に居宅サービス計画が作成されている場合でも、夜間対応型訪問介護計画を作成する必要がある。　　　　第24回問題55

2　サービスの提供時間については、24時から8時までの間を最低限含む必要がある。　　　　第24回問題55

答え　1：○　2：✕

絶対おさえるポイント

▶ 通いを中心として、随時訪問と宿泊のサービスを提供する。

▶ 登録定員は29人以下である。

▶ 登録者の居宅サービス計画は小規模多機能型居宅介護事業所のケアマネジャーが作成する。

パッと見でつかむ！

☆ サービス内容

1つの事業所で3つのサービスを提供する

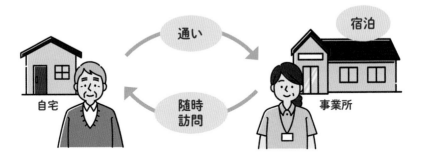

☆ 併用できるサービス

・訪問看護
・訪問リハビリテーション
・居宅療養管理指導
・福祉用具貸与

> これらのサービス以外
> 利用できない

くわしく見てみよう！ **5** min

　小規模多機能型居宅介護は、**通い、随時訪問、宿泊を１つの事業所で提供する**サービスです。通いはデイサービス、随時訪問は訪問介護、宿泊はショートステイをイメージすると理解しやすいと思います。同じ事業所の職員がこれらのサービスを一体的に提供するのが特徴です。登録定員は29人以下とされています。

　利用者の日々の状態変化にあわせて柔軟にサービスの調整や変更ができることが小規模多機能型居宅介護のウリです。そのため、登録者の居宅サービス計画は、居宅介護支援事業所のケアマネジャーではなく、その人が利用している**小規模多機能型居宅介護事業所のケアマネジャー**が作成します。

　小規模多機能型居宅介護と組み合わせて利用できる居宅サービスは、**訪問看護、訪問リハビリテーション、居宅療養管理指導、福祉用具貸与**の４つだけです。通所介護のように小規模多機能型居宅介護と似た機能があるサービスは利用できないことになっています。4つのサービスは、小規模多機能型居宅介護にない機能をもっているため併用できます。

　小規模多機能型居宅介護は市町村長が指定する地域密着型サービスです。サービスの提供にあたっては、おおむね２か月に１回以上**運営推進会議**を開催しなければなりません。

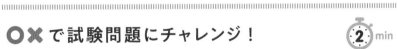

○✕ で試験問題にチャレンジ！ **2** min

1　指定小規模多機能型居宅介護事業所の登録者に対しては、その事業所の介護支援専門員が、居宅サービス計画を作成しなければならない。

第25回問題55

2　登録定員は、12人以下としなければならない。　　第26回問題55

答え　1：○　2：✕

④サービスの知識

看護小規模多機能型居宅介護

パッと見でつかむ！

☆ サービス内容

| 小規模多機能型居宅介護 | ＋ | 訪問看護 |

医療ニーズに対応しやすい

☆ 併用できるサービス

・訪問リハビリテーション
・居宅療養管理指導
・福祉用具貸与

📍Check!

☐ ケアプランの作成者
　登録者の居宅サービス計画と看護小規模多機能多型居宅介護計画は、看護小規模多機能型居宅介護事業所のケアマネジャーが作成する。

☐ 主治医との関係
　看護サービスの提供には、主治医の指示が必要になる。また、主治医に計画と報告書を提出しなければならない。

くわしく見てみよう！ ⑤min

　看護小規模多機能型居宅介護は、**小規模多機能型居宅介護**（→184ページ）と**訪問看護**（→162ページ）**を組み合わせたサービス**です。看護職員が訪問看護として、また通いや宿泊でも看護サービス（療養上の世話または必要な診療の補助）を提供することで、**医療ニーズの高い要介護者**を支援できます。登録定員は、小規模多機能型居宅介護と同じ29人以下です。登録者の看護小規模多機能型居宅介護計画は、看護小規模多機能型居宅介護事業所のケアマネジャーが作成します。

　看護サービスの提供を開始するときは、**主治医の指示を文書でもらう**必要があります。そして、サービスを提供した後は、看護師等が看護小規模多機能型居宅介護報告書を作成します。主治医には、看護小規模多機能型居宅介護計画と看護小規模多機能型居宅介護報告書を提出し、連携を図らなければなりません。

　看護小規模多機能型居宅介護と併せて利用できるサービスは、**訪問リハビリテーション、居宅療養管理指導、福祉用具貸与**の３つです。

　看護小規模多機能型居宅介護は市町村長が指定する地域密着型サービスです。おおむね２か月に１回以上運営推進会議を開催することとされています。

〇✖ で試験問題にチャレンジ！ ②min

1　訪問看護及び小規模多機能型居宅介護の組合せによりサービスを提供する。
第24回問題43

2　看護サービスの提供開始時は、主治の医師による指示を口頭で受けなければならない。
第26回問題43

答え　1:〇　2:✖

④サービスの知識

16 特定施設入居者生活介護

絶対おさえるポイント

▶ 有料老人ホーム、養護老人ホーム、軽費老人ホームを特定施設という。

▶ 一般型と外部サービス利用型がある。

▶ 外部のサービスを利用でき、居宅サービスに分類される。

パッと見でつかむ！

☆ 特定施設入居者生活介護

老人福祉法 ⟶ 介護保険法

有料老人ホーム（介護付）
養護老人ホーム
軽費老人ホーム

都道府県知事の
指定を受ける

特定施設
居宅サービス

☆ サービスの種類

○一般型

特定施設の職員

基本サービス
計画の作成
安否確認
生活相談 など
＋ 介護サービス

○外部サービス利用型

特定施設の職員

基本サービス
計画の作成
安否確認
生活相談 など

外部の事業者

介護サービス

くわしく見てみよう！

 5 min

　特定施設とは、老人福祉法で定める**有料老人ホーム**（介護付）、**養護老人ホーム**、**軽費老人ホーム**が、介護保険法の基準を満たし、都道府県知事から指定を受けたものです。定員が29人以下の場合は、地域密着型特定施設となります。

　特定施設入居者生活介護は、特定施設で生活する利用者に入浴、排泄、食事などの介護、機能訓練、健康管理などを提供するサービスです。

　入居者がサービスを利用するには、ほかの介護保険サービスと同じように**ケアプラン**が必要です。特定施設に在籍する**計画作成担当者のケアマネジャーが特定施設サービス計画を作成**します。

　サービスの類型には、**一般型**と**外部サービス利用型**があります。一般型は、特定施設の職員が基本サービス（特定施設サービス計画の作成や安否確認、生活相談など）と介護サービスの提供を行います。外部サービス利用型は、基本サービスを特定施設の職員が行い、介護サービスを特定施設から委託を受けた外部のサービス事業者が行います。

　サービス名に「施設」とありますが、入居している施設の外部のサービスを利用することができるため、特定施設入居者生活介護は**居宅サービス**に分類されています。

○✕ で試験問題にチャレンジ！

 2 min

1　特定施設は、有料老人ホーム、養護老人ホーム及び軽費老人ホームである。
第18回問題53

2　特定施設入居者生活介護は、居宅サービスとして位置付けられている。
第16回問題53

答え　1:○　2:○

❹ サービスの知識

17 認知症対応型共同生活介護

絶対おさえるポイント

▶ 介護が必要で認知症がある人が対象となる。

▶ 認知症の人がユニット単位で共同生活をする。

▶ 家庭的な環境で生活を継続できることを目的としている。

パッと見でつかむ！

☆ 対象者

認知症　　で　　要支援2
　　　　　　　要介護1～5　の人

主治医の診断書等で認知症であることを確認する

☆ ユニット（共同生活住居）

ユニット	ユニット	ユニット
5～9人	5～9人	5～9人

・ユニットごとに居間やキッチン、食堂などの共用スペースと居室を設置

・1つの事業所につき最大3ユニット

認知症対応型共同生活介護はグループホームと呼ばれ、要介護で認知症のある人を対象としたサービスです。認知症であるかどうかは主治医の診断書等で確認します。介護予防認知症対応型共同生活介護は、**要支援2の人**が対象となります。

利用者はユニットと呼ばれる生活空間で過ごしながら介護や機能訓練を受けます。入居してサービスを受けるので施設サービスのようですが、居宅サービスに分類されます。ユニットには、居間やキッチン、食堂などの共用スペース、そして利用者が生活するための個室があります。ユニットの**定員は5〜9人**で、顔なじみの関係とアットホームな雰囲気で、認知症の人が安心して穏やかに暮らせるよう配慮されています。1つの事業所に設けることができるユニットの数は3つまでです。

グループホームの計画作成担当者（ケアマネジャーなど）が**認知症対応型共同生活介護計画**を作成し、サービスを提供します。利用者はグループホームの職員から介護を受けるので、訪問介護やショートステイなどほかの介護保険サービスを利用することはできません（事業者が費用を負担するのであればサービスを受けることができます）。居宅療養管理指導（→166ページ）だけは、グループホームに入居しながら利用することができます。

○✕ で試験問題にチャレンジ！ 2 min

1 入居の際には、主治の医師の診断書等により申込者が認知症である者であることの確認をしなければならない。
第25回問題56

2 1つの共同生活住居の入居定員は、5人以上9人以下である。
第23回問題56

答え 1:○ 2:○

④ サービスの知識

18 福祉用具

パッと見でつかむ！

☆ 福祉用具貸与

① 車いす
② 車いす付属品
③ 特殊寝台
④ 特殊寝台付属品
⑤ 床ずれ防止用具
⑥ 体位変換器
⑦ 手すり
⑧ スロープ
⑨ 歩行器
⑩ 歩行補助つえ
⑪ 認知症老人徘徊感知器
⑫ 移動用リフト（つり具の部分を除く）
⑬ 自動排泄処理装置（本体部分）

☆ 特定福祉用具販売

① 腰掛便座
② 自動排泄処理装置の交換可能部品
③ 排泄予測支援機器
④ 入浴補助用具
⑤ 簡易浴槽
⑥ 移動用リフトのつり具の部分
⑦ スロープ※
⑧ 歩行器（歩行車を除く）※
⑨ 歩行補助つえ（松葉杖を除く）※

※2024年（令和6年）4月から福祉用具の選択制が導入され、⑦〜⑨が追加された。

介護保険では、利用者の自立した生活を支援するために福祉用具が保険給付の対象となります。ただし、福祉用具であれば何でも介護保険の対象となるわけではなく、国が定めた福祉用具に限られます。福祉用具は貸与（レンタル）が原則ですが、排泄や入浴のときに使用するものは利用者に直接触れることなどを考慮し、購入することになっています。また、比較的低価格で購入したほうが利用者の負担が軽減できるものは貸与か購入が選べます。

　福祉用具のレンタルや販売を行う事業者の福祉用具専門相談員は、**福祉用具サービス計画（福祉用具貸与計画・特定福祉用具販売計画）**を作成しなければなりません。この計画は、ケアマネジャーの作成する居宅サービス計画に沿って作成します。

福祉用具貸与

　福祉用具貸与には13品目が定められています。代表的なものとして、車いす、特殊寝台（ベッド）などがあります。利用者はこれらを借りると、毎月1～3割の自己負担をすることになります。

特定福祉用具販売

　福祉用具の購入は特定福祉用具販売と呼び、購入費の7～9割が保険給付されます。腰掛便座（ポータブルトイレなど）や入浴補助用具、簡易浴槽などが対象です。福祉用具購入費は1年間で**10万円**という上限があり、**償還払い**（→48ページ）で支給されます。同一年度で同じ種目を繰り返し購入することは原則認められません。

○✕ で試験問題にチャレンジ！　

１　入浴用いすなどの入浴補助用具は、特定福祉用具販売の対象となる。

第25回問題54

答え　1：○

19 住宅改修

▶ 市町村に対し、事前申請をしなければならない。

▶ 1人あたり20万円まで保険給付の対象となる。

▶ 転居や要介護状態が重くなった場合は再度給付を受けられる。

パッと見でつかむ！

住宅改修の種類

❶ 手すりの取り付け
❷ 段差の解消
❸ 床材の変更
❹ 引き戸等への取り替え
❺ 洋式便器等への取り替え
❻ ❶〜❺に付帯して必要な住宅改修

工事の必要がない手すりやスロープは福祉用具貸与になる

住宅改修費

上限20万円

例外

① 転居した場合
② 要介護状態区分が3段階以上上がった場合

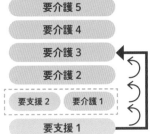

要介護5
要介護4
要介護3
要介護2
要支援2　要介護1
要支援1

要支援1→要介護3でリセット

くわしく見てみよう！ 5 min

　住宅改修は、利用者の自宅の改修費用を保険給付するサービスです。介護保険の給付対象となる住宅改修は、利用者の自立を支援するものでなければなりません。具体的には、①玄関や道路までの通路などへの手すりの取り付け、②廊下と居室入口などの段差の解消、③滑り防止や移動の円滑化のための床材の変更、④開き戸からアコーディオンカーテンや引き戸への変更、⑤和式便器から洋式便器等への取り替え、⑥これらの住宅改修に伴い必要となる壁の下地補強などの工事が対象となります。

　利用者は**改修前に市町村に申請**を行い、市町村は保険給付として適切かを確認します。ほかの介護保険サービスと違い、住宅改修を行う事業所は介護保険の指定を受ける必要がなく、大工さんや工務店など、だれでも工事を行うことができます。利用者が事業者に費用を支払った後、市町村に申請すると保険給付分が払い戻される償還払いとなります。

　住宅改修は要介護状態区分にかかわらず、**1人20万円まで**給付されます。上限まで使い切ると、基本的にそれ以上支給されることはありません。例外として、**転居した場合と要介護状態区分が3段階以上上がった場合**は、改めて20万円までの支給が受けられます。要介護状態区分の数え方は注意が必要で、要支援2と要介護1を同じ段階として数えます。たとえば、要支援1から要介護2だと2段階しか上がっていないことになるためリセットされません。

○✕ で試験問題にチャレンジ！ 2 min

1　手すりの取付けのための壁の下地補強は、住宅改修費の支給対象となる。
第26回問題54

2　要介護状態区分が3段階以上上がった場合は、改めて住宅改修費を受給できる。
第22回問題54

答え　1：○　2：○

20 介護老人福祉施設

絶対おさえるポイント

▶ 日常生活の介護を行う特別養護老人ホームである。

▶ 原則として、要介護3以上の人が対象となる。

▶ 入所定員29人以下の場合は地域密着型介護老人福祉施設となる。

パッと見でつかむ！

介護老人福祉施設

特別養護老人ホームの認可を受けて、さらに介護保険施設として指定を受けると介護老人福祉施設となる

老人福祉法

都道府県知事の
指定を受ける

介護保険法

特別養護老人ホーム　　　　　　　　　　　　介護老人福祉施設

◉ Check !

☐ 対象者
原則として、要介護3〜5の人を対象とする。要介護1・2の人でも、やむを得ない
理由があれば入所することができる。

☐ 地域密着型介護老人福祉施設
定員29人以下の小規模な介護老人福祉施設のこと。市町村長が指定する。

5 min

介護老人福祉施設は、老人福祉法で認可を受けた**特別養護老人ホーム**が介護保険法の指定を受けた施設です。入所の対象は、原則として**要介護3〜5の人**となっています。重度の認知症があり在宅生活が困難な人や家族等からの虐待が疑われるなどのやむを得ない理由があれば要介護1、要介護2でも入所は可能です。公共性が高い施設であるため、原則として、地方公共団体か社会福祉法人だけが開設できます。

介護老人福祉施設は、介護老人保健施設（→198ページ）や介護医療院（→200ページ）に比べ、介護職員が手厚く配置されているのが特徴です。医療的な処置や管理よりも日常生活の介護が中心となる施設です。明るく家庭的な雰囲気を有し、地域や家庭との結びつきを重視した運営を行うよう努めなければなりません。

施設サービスは**施設サービス計画**に基づいて提供されます。施設サービス計画はケアマネジャー（計画担当介護支援専門員）が入所者のニーズを把握し、施設内の専門職に意見を求めながら作成します。その内容を利用者または家族に説明し、利用者の同意を得ます。

入所の定員は30人以上で、都道府県知事が指定します。入所定員が29人以下の特別養護老人ホームは**地域密着型介護老人福祉施設**といい、市町村長が指定します。サービスの内容に大きな違いはありませんが、地域密着型介護老人福祉施設は、運営推進会議をおおむね2か月に1回以上開催します。

○✕ で試験問題にチャレンジ！ 2 min

1 虐待等のやむを得ない事由があれば、要介護1又は2の者を入所させることができる。

第22回問題57

2 指定介護老人福祉施設は、市町村長が指定する。 第25回問題57改変

答え 1：○ 2：✕

❹ サービスの知識

21 介護老人保健施設

▶ 自立支援と在宅復帰を目的とした入所施設である。

▶ 看護、医学的管理下での介護と機能訓練などを提供する。

▶ 少なくとも3か月に1回は入所者の在宅復帰を検討する。

パッと見でつかむ！

☆ サービス内容

介護老人保健施設

在宅復帰
地域との連携
環境整備

自宅

自立を支援するための
サービス提供

| 看護 | 介護 |

| リハビリテーション |

📍**Check!**

☐ 入所者が退所する場合
本人や家族に対して、
適切な指導を行う。

くわしく見てみよう！

 5 min

　介護老人保健施設は、**居宅における生活を営むことができること（自立支援と在宅復帰）を目的とした施設**です。計画担当介護支援専門員が作成した施設サービス計画に基づいて、入所した要介護者に**看護、医学的管理下での介護やリハビリテーション**を提供します。入院して病気は治ったけれど、自宅に戻るにはもう少しリハビリテーションが必要といった人を対象とした施設で、病院と居宅の中間施設と呼ばれることもあります。

　施設には、医師や薬剤師、看護職員、介護職員、理学療法士などのリハビリテーション専門職、支援相談員、栄養士などの専門職が配置されています。救急病院のような積極的治療を行う機能はありませんが、療養に必要な検査や投薬、医療処置などを提供することができます。

　介護老人保健施設には、100人以上が入所する規模の大きい施設もあれば、利用定員29人以下で病院や診療所に併設されている医療機関併設型小規模介護老人保健施設、本体施設とは別の場所に設置されたサテライト型小規模介護老人保健施設などさまざまな形態があります。

　また、在宅復帰を目的としているため、**少なくとも3か月に1回は入所者が在宅復帰できるかどうかを検討しなければならない**とされています。入所者の退所にあたっては、再び状態が悪化しないように療養上の指導や家族への介護方法の指導などの在宅療養支援を行います。

○✖ で試験問題にチャレンジ！

 2 min

1　入所者の在宅復帰を目指す。

第24回問題44

2　要介護者であって、主として長期にわたり療養が必要である者に対してサービスを行う施設と定義されている。

第23回問題44

答え　1：○　2：✕

❹ サービスの知識

22 介護医療院

絶対おさえるポイント

▶ 長期にわたり療養が必要な要介護者が対象となる。

▶ 生活施設としての機能ももった施設である。

▶ 状態によってⅠ型療養床とⅡ型療養床がある。

パッと見でつかむ！

サービス内容

医療機能 ＋ 生活施設

医学的管理
ターミナルケア・看取り
リハビリテーション

プライバシーに
配慮した療養室

利用者

Ⅰ型療養床	Ⅱ型療養床
・重篤な身体疾患のある人 ・身体合併症のある認知症の人 　　　　　　　　　　　　　　　　など	Ⅰ型療養床以外の人

医師や介護職員を手厚く配置

くわしく見てみよう！ 5 min

　介護医療院は、医学的な管理が必要なため在宅での生活が困難な要介護者が入所する施設で、**長期療養**を目的としているのが特徴です。入所者が療養しやすいよう、療養室の定員は4人までとし、入所者のプライバシーを守るため室内を間仕切りしたり家具で区分けをするなど生活環境に配慮され、生活施設としての役割もあります。

　施設には医師や薬剤師、看護職員、介護職員、理学療法士などのリハビリテーション専門職、栄養士などが配置され、さまざまな医学的管理に対応できる体制が整っています。具体的には、急変時の対応や認知症ケア、リハビリテーション、ターミナルケア・看取りといったケアを提供します。施設内で必要な医療の提供が難しい場合は、ほかの病院への入院などの必要な支援を行います。

　介護医療院には**Ⅰ型療養床**と**Ⅱ型療養床**があります。Ⅰ型療養床は重度の身体疾患のある人や身体合併症がある認知症の人を対象とし、Ⅱ型療養床はそれ以外の症状が安定している人を対象とします。Ⅰ型療養床の入所者のほうが医療ニーズが高いため、専門職が手厚く配置されています。

　介護医療院には、病院・診療所に併設された**医療機関併設型介護医療院**、そのうち定員が19人以下の**併設型小規模介護医療院**、少数の療養室や共同生活の場などが整備された**ユニット型介護医療院**があります。

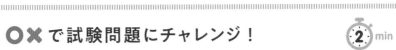

○✕ で試験問題にチャレンジ！ 2 min

1　療養床には、Ⅰ型療養床とⅡ型療養床がある。　　　第26回問題45

2　ユニットケアを行うユニット型もある。　　　第24回問題45

答え　1：○　2：○

④ サービスの知識

介護保険サービスの問題は必ず出題されます。すべてのサービスが出題の対象になりますが、実際に出題されるのは毎年13問程度です。それぞれのサービスに関する設問はもちろん、事例問題で出題されることもあるので、一つひとつのサービスの特徴を理解しておく必要があります。

■各サービスの目的を理解する

介護保険サービスにはそれぞれ目的があります。訪問看護は居宅における療養生活の支援、介護老人保健施設は自立支援と在宅復帰というようにそのサービスの目的をおさえておきましょう。これを理解しておくと、事例問題にも対応しやすくなります。

■各サービスの利用対象を整理しておく

介護保険では、要支援区分と要介護区分で利用できるサービスが異なります。それぞれのサービスの対象者をおさえておきましょう。

■過去問を中心に出題傾向をつかむ

最初から細かいところまで覚えるのは難しいので、試験に出題されやすいところから学習を進めましょう。訪問系サービスではサービスの内容について、施設サービスでは設備基準や人員基準について出題される傾向があります。

また、加算についての出題頻度は高くありませんが、出題されると一気に難易度が上がります。過去問を中心に確認しておきましょう。近年は認知症や栄養、ターミナルケアに関する加算が出題されています。

ケアマネジャー試験の
おすすめ受験対策書

『スタートブック』を一通り読んだら、いよいよ試験に向けた本格的な学習が始まります！「何から取り組めばよいかわからない」というあなたに向けて、受験勉強に欠かせない参考書や問題集をご紹介します。自分に合った本を選ぶことが効果的な学習の秘訣です。

試験を知りたい！

『ケアマネジャー試験 過去問解説集 2025』

2025年1月刊行予定
定価3,300円（税込）
B5判　赤シート付

過去5回分の試験問題と解答・解説を収載した問題集です。過去問を解くと出題傾向がわかり、試験の対策がしやすくなります。

『ケアマネジャー試験
ワークブック 2025』

2025年1月刊行予定
定価3,520円（税込）　B5判　赤シート付

試験対策に有効な知識に絞り込んで500
ページに凝縮した参考書です。知識を自
分のものにするための学習サポートも満
載し、ケアマネジャー試験の受験生から
最も支持を受け続けているナンバーワ
ン書籍です。

『見て覚える！
ケアマネジャー　試験ナビ 2025』

2025年3月刊行予定
定価3,300円（税込）　AB判　オールカラー

出題範囲の全体像をつかめるよう、試
験の内容を分析し、63単元に整理した
参考書です。オールカラーの図表やグ
ラフ、イラストを多用し、重要な項目を
わかりやすく解説しています。複雑な
制度のしくみや専門用語、医療知識な
どもポイントを押さえて学習できます。

スキマ時間を使いたい！

『らくらく暗記マスター ケアマネジャー試験 2025』

2025年1月刊行予定
定価1,760円（税込）　新書判　赤シート付

出題頻度の高い内容に的をしぼったポケットサイズの本です。デルモン仙人とウカルちゃんのやりとりを読んで楽しく学べます。「声に出して覚えよう」「ゴロで覚えよう」などの暗記術も盛りだくさんで、合格に近づくための知識をムリなくムダなく頭にインプットできます。

『ケアマネジャー試験 過去問でる順　一問一答 2025』

2025年2月刊行予定
定価3,080円（税込）　A5判　赤シート付

過去4回分の試験問題を一問一答形式にした問題集です。3段階の「でる順」レベル（「絶対に覚える」「確実におさえる」「＋1点をつかみとる」）で並んでいるので効率よく学べます。各分野の冒頭にある「図表で覚える！　重要ポイント」では、重要事項を整理しています。

問題を解きたい！

『ケアマネジャー試験 合格問題集 2025』

2025年1月刊行予定
定価3,300円（税込）　B5判　赤シート付

ケアマネジャー試験の出題傾向を分析して作成した模擬問題を分野ごとに収載した問題集です。ポイントにしぼった解説で合格に必要な知識が身につきます。より出題されやすい問題には「頻出」マークを付けています。試験勉強のラストスパートまで長く使える一冊です。

『ケアマネジャー試験 ポイントまる覚えドリル 2025』

2025年2月刊行予定
定価1,980円（税込）　B5判　赤シート付

試験問題を出題頻度に応じて整理した書き込み式の問題集です。ケアマネジャー試験は、5つある選択肢から2つもしくは3つの「正しいもの」を選ぶ試験です。「正文（＝正しい選択肢）」を書くことで、基本的でよく出る項目を確実に身につけることができます。

執筆者紹介

水頭 正樹（みずがしら・まさき）

合同会社ヨケア代表。主任介護支援専門員。長崎市介護支援専門員連絡協議会広報委員長。長崎市における「ケアプランの基本的な考え方と書き方」「「他法人との協同事例検討会等」モデル研修資料」の作成に携わり、ケアマネジャーを支える活動を行っている。2020年にYouTubeチャンネル「メダカの学校@miz」を開設し、ケアマネ試験対策に関する動画を投稿している。2023年からケアマネ試験対策オンラインセミナーも行っている。

■ **本書に関する訂正情報等について**
弊社ホームページ（下記URL）にて随時お知らせいたします。
https://www.chuohoki.co.jp/foruser/manager/

■ **本書へのご質問について**
下記のURLから「お問い合わせフォーム」にご入力ください。
https://www.chuohoki.co.jp/contact/

1テーマ10分！ サクッとわかる

ケアマネ試験スタートブック2025

2024年11月10日 発行

編　集	中央法規ケアマネジャー受験対策研究会
発行者	荘村明彦
発行所	中央法規出版株式会社
	〒110-0016　東京都台東区台東3-29-1　中央法規ビル
	TEL 03-6387-3196
	https://www.chuohoki.co.jp/
印刷・製本	TOPPANクロレ式会社
本文デザイン	mogmog Inc.
本文イラスト	たなかのりこ
DTP	株式会社エディポック
装幀デザイン	アンシークデザイン
装幀キャラクター	坂木浩子

定価はカバーに表示してあります。
ISBN978-4-8243-0130-7

A130